SANSIBAR

oder

der letzte Grund

by

ALFRED ANDERSCH

with introduction and notes by

WALTER G. HESSE, M.A., Dr.Phil.

Former Professor of German, University of New South Wales

MODERN WORLD LITERATURE SERIES

Nelson

Thomas Nelson and Sons Ltd
Nelson House   Mayfield Road
Walton-on-Thames   Surrey
KT12 5PL   UK

51 York Place
Edinburgh
EH1 3JD   UK

Thomas Nelson (Hong Kong) Ltd
Toppan Building 10/F
22A Westlands Road
Quarry Bay   Hong Kong

Thomas Nelson Australia
102 Dodds Street
South Melbourne   Victoria 3205
Australia

Nelson Canada
1120 Birchmount Road
Scarborough   Ontario
M1K 5G4   Canada

First published in the German Language 1957
by Verlag Otto Walter AG., Olten and Freiburg i. Br.
English edition with Introduction and Notes

First published by Harrap Limited 1964
ISBN 0-245-52737-0

This edition published by Thomas Nelson and Sons Ltd 1987
ISBN 0-17-444634-9
NPN 9 8 7 6 5

Printed in Hong Kong

Contents

Contents

SANSIBAR

ODER

DER LETZTE GRUND

ALFRED ANDERSCH

Introduction

Alfred Andersch and his work

ALFRED ANDERSCH was born on 4th February 1914 in Munich. After attending the local *Gymnasium*, he was apprenticed in the book trade. At eighteen he helped to organize youth groups of the Bavarian Communist Party, but after the banning of the Party in 1933 and its political collapse, and six months spent in the notorious Dachau concentration camp, he abandoned this political affiliation.

He did not, however, as many other disappointed youths did at the time, turn to the National Socialist Party instead. On the contrary, when war came, he deserted from the army in June 1944, in Italy, and went as a prisoner of war to the United States.

When he returned to Germany and began to write, his contributions to newspapers and periodicals very soon established him in the forefront of a literary movement which had to grapple with the problems of the aftermath of a terrible war, a war fought to the point of utter exhaustion and destruction. Many years of enforced silence, of complete separation from European tradition, despair at the sight of material and spiritual devastation, and the seeming hopelessness of attempting to rebuild the ruins—all these had to be overcome, and hope and purpose put in their place; attention had to be claimed from inert countrymen and from a hostile world which would listen neither to whining nor to hysterical demands.

In 1946, Andersch became co-editor of a fortnightly political journal, *Der Ruf*. Passionately attempting to prove that this was

7

no 'lost generation', he and his friends (soon to form a literary *Gruppe 47* which is still in existence) took a courageous and outspoken stand on the many issues of the day—the rebuilding and repopulating of Germany, the resettlement of hundreds of thousands of returning soldiers and refugees, the judgements of the Nuremberg military court against war criminals, and the general condemnation of Germany's so-called collective war guilt. They took a firm stand, too, on the threatened division of Germany into West and East, and on many other apparently permanent obstacles on the way to a true democracy, their overwhelming desire and hope.

Many of their hopes, however, were quickly dashed, and after only sixteen issues *Der Ruf* was banned by the American military government in April 1947, presumably because of complaints by the Russian occupying powers. Disillusioned once again, Andersch realized that what he had to do could not be accomplished by political journalism attending to the problems of the moment, but only in a truly creative manner, by fashioning in fiction his conviction of the dire need for a moral rejuvenation in his new Germany.

Since 1948, when he collected an anthology of contemporary writings in a volume called *Europäische Avantgarde*, he has organized the 'evening studio' programmes of the Frankfurt broadcasting station and, from 1955 to 1957, edited a literary journal, *Texte und Zeichen*. Essays and radio plays have come regularly from his pen, and in 1952 he published his first extended work, an autobiography, *Die Kirschen der Freiheit: ein Bericht*, in which he tells of his long and arduous path from adherence to organizations to a 'desertion' which in his case meant self-determination. Much of what Gregor (in *Sansibar*) alludes to is here stated in detail.

Sansibar itself appeared in 1957, twenty years after the frightening events which it describes. In the same year, 1957, a short story, *Piazza San Gaetano, Neapolitanische Suite*, made a first incursion into the Italian scene. It is the confession of a young Englishman who, in order to escape from the barrenness of work in a bank, and in search of inspiration, has absconded with some money to Naples and has eventually been caught by the police. In his cell, as he writes down the experiences of his day of liberty in Naples, the miracle happens: his report becomes poetry. The poem for which he searched becomes reality, and experienced reality becomes a work of art. The hand which took can now give.

Geister und Leute of 1958 is a collection of ten short stories of widely differing content and techniques. Andersch tells us in a preface that each two form related groups, the first two reporting on 'Lebensläufe' and therefore being 'slow' stories; two are 'irrational', introducing 'Geister', the supernatural, two others are 'Momentaufnahmen', 'snap-shots', quite realistically told and 'nearest perhaps to the genre of the American short story'. Two further sketches merely describe 'situations', and the last two are written in a technique made familiar by film scripts, with 'cross-cutting' and similar devices. All of them, however, deal with the contemporary scene, and again, as before in the story of Naples, the motifs of escape and flight from an intolerable situation into some sort of freedom of one's own choice play a major part. One of the stories gives an 'inside' report of de Gaulle's decision to return from his self-chosen exile into government (*In der Nacht der Giraffe*), another a completely detached account of a continuous trip round the world by an unknown and unimportant clerk conscripted to undertake one military expedition after the other (*Weltreise auf deutsche Art*). And there is the gripping story *Drei Phasen*, in which three separate episodes from the author's own life are related simultaneously—an attack of Nazi brownshirts on a Communist assembly room, the shooting of Jews in Dachau concentration camp, and the burial of the fallen on an Italian battlefield by German prisoners of war.

Then in 1960, Andersch published a novel, *Die Rote*, which immediately gained him world acclaim. His scene, this time, is Venice, but its magnificence and grandeur are employed only as a striking contrast to the sinister and dangerous experiences of his heroine, Franziska, called by admiring Italians 'die Rote', because of her beautiful red hair. Her story, like that of *Sansibar*, is one of hunt and escape, persecution and murder. It begins with her flight from security, involves her in threatening encounters, and ends with her escape into temporary shelter, the beginning of a new life.

In the later 1960s and earlier 1970s Andersch continued to write short stories, novels and travel books which displayed his remarkable gift for illuminating a particular time or place, its character and its problems. Some of these such as the story *Jesuskingdutschke* (1971) dealt with contemporary events, in this case the student demonstrations in Berlin in 1968, while others looked back, such as his last story *Der Vater eines Mörders* which evokes his schooldays in Munich and was published shortly after his death on 21st February 1980.

Sansibar oder der letzte Grund

Sansibar, then, is not a traveller's description of an exotic scene, nor an exciting and adventurous tale of dark-skinned men and a strange civilization as the title might lead us to believe. What is told here is exciting enough, but the adventures, dangers and threats, hiding, hunt and escape, the fear and courage of the protagonists of the story, all these occur in the recent past, in a small North German town on the Baltic Sea. The people in this tense tale seem very ordinary and familiar at the outset, yet they are drawn into a web of nightmarish incidents which force all of them to decisions which raise them far above the ordinary and familiar.

In their Germany, at this time, a very strange 'civilization' indeed was shaping itself. The National Socialists had been in power for four years and, having crushed all resistance and silenced all criticism at home, were now preparing for war against the outside 'enemy'. Germany was really one large concentration camp, its populace invisibly divided into the strong minority of '*die Anderen*' (Hitler's black- and brown-shirted army and the many who now hastened to become party members, too greedy or too frightened to remain outside), and the silent majority of '*die Übrigen*', the 'unpolitical' and indifferent 'good citizens' who had always said that Hitler should be given his chance. The few who could not accept such a choice, to whom moral values were more important than safety, were reduced to small acts of defiance or sabotage; and in a situation in which sheltering a Jew from a concentration camp or preventing a religious work of art from being impounded was a crime in law, the defence of such values could indeed prove costly.

The five people of our story belong to those few, hunted by *die Anderen* and without hope of help from the indifferent multitude. They are entirely dependent on their own devices and on a cunning which, in a detective story, would be the criminal's asset. Help can only come from those whom they detect as being of their own kind, and this will inevitably mean accepting claims for help from these others, so that, in the end, assistance must be exchanged for assistance, and everyone must accept more than his own share of danger. That all of them rise to such courage and sacrifice, that the miracle happens in the darkness, as it must often have happened in those days of inconspicuous heroes, that the villains of the piece, the police, are cheated of victory: all this allows us the relief we feel at the conclusion of a tense and exciting story, a story that is not only possible and probable but so real that it can be felt to be historically true. Our relief, moreover, is also ethically good, for our feelings have throughout been on the side of innocence and honesty.

This means that, exciting though this story may be, it is not really or solely concerned with pursuit and escape; it is concerned with 'der letzte Grund' a few people have for remaining honest among the many who are content to close their minds to the evil surrounding them, who are 'wendig' and 'geschickt' and profess to want only 'das Beste', in Helander's phrase, the grown-ups of whom the boy says that 'si. alles so langsam kapieren, das blöde Volk', Judith's young gentlemen of the tennis club whom she would never have thought of asking for help, Knudsen's 'stumme Fische'. For the few it is not enough to know that there are still countries nearby where steps crunch lustily on the gravel path of the vicar's garden, where men still have 'intakte Ehrbegriffe'. These few want to fight against the darkness which has engulfed their own country, even if they can only do so by keeping alight a tiny flame of hope and promise.

They are no less afraid than anyone else in that country, and they share with everyone the natural, passionate desire for survival, the desire 'übrigzubleiben'. But as this does not mean to them merely a continued vegetative existence, they equate in their minds that 'übrigbleiben' with 'rauskommen'. This means at first only an escape from Germany; later, slowly and with varying degrees of insight, it also becomes flight from the temptation of treasonable indifference and unconcern, and this involves a conscious and wilful choice.

Not all of them can choose, however. Judith must accept flight as the only way out; if she were to remain, her death in some concentration camp would be a meaningless sacrifice.

Knudsen's wife cannot choose, and must remain. But for the others Rerik, 'dead Rerik', will become 'der tote Punkt, von dem aus man sein Leben ändern konnte'. Realizing that there is a choice to be made will indeed change one's life, give it a purpose, retain some small area of freedom amid general coercion, the freedom to decide for oneself.

The old-established organizations for mutual help and safety, Party and Church, have been made powerless by the superorganization of *die Anderen*. Why then not accept the verdict, and creep away into passive acceptance? 'Wenn wir nichts mehr tun, gibt es uns auch nicht mehr'—Gregor must admit that this statement need not mean more than being left in peace, if only by the enemy. And Helander need not be more than 'ein Pfarrer für die Bürger', the wooden figure of the reading monk need not be more than a 'Götzenbild' to him; he too could shelter behind Knudsen's excuse for hating the party—'weil sie versagt hatte'. He could blame his church for its obvious, blatant failure, and wash his hands of it. And, at the end, he could choose the hospital bed instead of the wait at the window. This would be his desertion; for the others, there is the opportunity of escape to Sweden.

But this desertion would be treason. 'Wenn wir nichts mehr tun, gibt es uns auch nicht mehr' does mean more than giving up and becoming inconspicuous. It means that the flags which are hauled down will never again flutter as before, even if they have been carefully folded and hidden in a chest. One cannot live in a world without 'Aufträge' and aims; the step 'vom gedachten zum getanen Abfall' must never be made.

This is why Helander and Gregor and Knudsen play their serious game for high stakes, why the boy joins in their action when he realizes that, for once, the grown-ups are genuinely depending on him. You must simply help when others so obviously need your assistance. In a tyranny which expressly forbids and inexorably punishes disobedience to conformity, and persecutes the assumption of responsibility for one's own actions, you must 'read' its law books without believing in them, you must read and yet be able, like the little monk, to get up and go away: 'Alles muß neu geprüft werden.'

Of course, this is no game, and the boy is terribly wrong in believing that there are no 'Verfolgungsjagden' in Rerik. On the contrary, everything here conspires against the few. All men, and nature as well, spell danger: 'da man bedroht war, war nichts wie etwas anderes', and Rerik is a trap for the brave ones who have become so pitifully rare ('eine Falle für Seltenes'). In the light of day you keep close to the walls and do not cross the church square, in the evening you keep outside the arc lights of the harbour; and the moon of the night may remind you of Goethe's wonderful verse, but only to show you how nothing is now as it was before. A passport is more dangerous than useful, and to forget a photograph in your bedroom is criminal folly—bicycle trouser-clips are the best disguise. Only foreigners dare sit down without looking at the Hitler picture, and spit on the floor; only foreigners leave their house doors open.

Here, in this trap, one cannot leave one's door open. Comparative security can be gained only by hiding; not a playful boy's shelter, but the secrecy of a hotel room, a ship's cabin, the yawning emptiness of the church which one enters for subversive 'business'. Any open space exposes 'the few' to lights which play on them mercilessly, anywhere they can be heard, they may be 'noticed'. And everyone will hunt them, once they have aroused suspicion, not only those men who are merely flesh in uniform, 'Teiggesichter unter Hüten', evil and cowardly, who drive 'auf leisen Limousinensohlen', but also their accomplices, like the innkeeper, 'das weiße Lampiongesicht'. Everyone is dangerous, and you will in vain expect the doctor and the parson to be magicians, able to save you: their frail incantations amount to no more than 'hält er's aus, wird er gesund, hält er's nicht aus, geht er zugrund'.

The few are in constant danger, for they are dangerous to *die Anderen*. Only Helander and Gregor are quite conscious of the threat which their existence creates for the hunters: 'Sie hatten zu sterben, weil sie das Reich der Anderen ohne jeden Kompromiß zum Reich des Bösen erklärten.' Knudsen, Judith, and the boy are only dimly aware that their defiance has this meaning, they may even believe in the possibility of compromise; and yet they, in their own way, are no less 'getauft'—as is everyone whom *die Anderen* hunt.

Everyone who doubts, who retains a measure of questioning intellect or belief, even if he is not as capable as those who can 'read the signs', will eventually, by talk or action, undermine an authority which can maintain itself only through the silence of the passive majority and 'die Schreie der Gefolterten'. Everyone who contradicts the money-lenders and traders in this contemporary temple is compelled to become a dedicated 'Kurier', is forced to renounce selfish interests. Love is no longer a feeling between individuals: 'Illegalität und Liebe schließen sich aus. Kuriere sind Mönche' (i.e. action outside the law demands dedication to humanity, not to individuals). Gregor had not been able to save Franziska, and yet must save a chance acquaintance; Knudsen cannot save his wife, and yet has to save the 'Götzenbild', the statue. They will save themselves by such deeds, not from death but from guilt and sin.

That is their freedom then, the freedom to choose between flight and suicide, martyrdom and death, for all five of them. In deciding for service and sacrifice, in accepting a responsibility whose sole reward is the knowledge (which is theirs alone) that they have acted selflessly, they will prove to themselves, and eventually to all, that Rerik, 'der schalltote Raum', is not empty, and that God, even on Orion, hears the sounds of their torture.

Time and again, they ask themselves the question, 'wohin jetzt?', and seem to find no answer. But, in the end, the answer is given. To endure ('aushalten'), that is 'der letzte Grund'—not Zanzibar or Skillinge, but Rerik and its 'Auftrag'.

Of course, in order to recognize his own 'letzter Grund', each of them must disentangle it from a web of complex motives. Even the boy, purposely remaining aloof from other people and thus able to think only of himself, even he must account for the importance and validity of his reasons for yearning to go far away. He, too, will have to ask questions, as Gregor recognizes; but that he is begin ning already to ask these questions, Gregor does not quite realize. In fact, he is giving himself some fairly certain answers, as soon as he is drawn from his hiding place into the company of strangers who demand conscious and decisive participation from him.

That one must leave Rerik 'weil in Rerik nichts los war', his first reason, is proved wrong. There *are* new ideas to be worked out here, there *is* a world, a real world to be conquered of which his adventure stories have not informed him, a world of action needing no ship's papers. And his second reason has also been a mistake. One need not go away simply because the townspeople remember his father as a drunkard drowned at sea and therefore scorn his son: there is a more positive reason—the comradeship and the appreciation of others to be gained in this adventure. And when he is allowed, indeed asked, to help in getting the passenger aboard, when this chance comes (which he had never thought he would get here) he can even forget his third reason for a time, his dream of Zanzibar, for he has arrived at that faraway goal without having gone away. He is 'ein Politischer' now, he has, like Huckleberry Finn, a job to do.

He does his job, and does it well—and he can now remember his third reason again. And yet he returns to the boat and to Knudsen, to the sea which stretches beneath the familiar grey, monotonous sky. He has found his third reason wanting as well, and he understands his true assignment. It is not Zanzibar, it is that of enduring and belonging, to Rerik as much as to Knudsen, it is what the girl talked to him about and not what his books told him. He returns as if nothing had happened, and he will not talk about it; but his great adventure has indeed happened, and he has passed his trial where his father had succumbed.

Judith, too, is not given much time in which to become aware, to mature, to decide and act. She, too, at a moment's notice, has had to leave her hiding place, the shelter of Mama's comfortable villa, a solid security in which money simply was not mentioned. Her mother, like the boy's father, abandoned her, left her to fend for herself without forewarning, jerking her out of her honourable world into one of lawlessness and unceasing danger. This is a world in which one must learn words and concepts such as 'türmen' and 'Flittchen', where nobody offers help but those whom one cannot trust—people like Heise, 'der todsichere Fluchtwege wußte', the Swedish officer who is not even allowed the key to the liquor cabinet, and worst of all, the innkeeper whose silence could only be bought.

That Judith chooses Gregor in such a situation seems the obvious way out. But there is a sacrifice in this choice, a renunciation which makes her Gregor's equal. She leaves him since he is prepared to give up his 'classic role' of the young knight saving a damsel in distress, and yet he might have been so much more to her than the provider of a safe passage. When they part, her silent movement towards him is a last-minute faltering; but she does overcome her temptation, knowing that she must leave him where his true vocation lies.

That is her sacrifice—to go alone, and not to know where and to what purpose. And yet, a few hours later, part of that purpose already unfolds itself for her, when she fulfils her duty: she makes the boy understand that he must not leave Knudsen in the lurch.

Knudsen must stay, and he knows that all the time, for a multitude of reasons. But again there is a fundamental 'letzter Grund' beyond all others, and only this makes him decide in the end. It is not Bertha, it is not his ship, it is not the fear of being found out by his mates: it would always be possible to escape with Bertha on board his craft. It is not 'the Party'. If it were only his belief in the Party, and a conviction that not even the last member may give up, Knudsen would now be disheartened enough to stifle his conscience, he would 'resignieren, still werden, sitzen und schweigen, aber nicht wie der Genosse Klosterschüler'.

Nor does Knudsen act for Helander's sake or because of Helander's opinion of him. In the last resort, it is not even the passionate hatred which he has conceived against Gregor which propels him into showing that he is neither a deserter nor a coward, that Gregor may have no opportunity whatsoever of despising him. True, there is in him the same unconscious craving for approval as in the boy, and much of his courage is born of cowardice. But this is not his only craving. His 'letzter Grund' is that, as always before, he cannot refuse the 'bait' of a call for his help. He may, as always, be a 'stupid fish', even a 'stummer Fisch', but he will not be a dead fish. His 'letzter Grund' is that moral decency acts without asking for reasons.

The boy, Judith and Knudsen are being confronted with their choices; Gregor and Helander seem to be free agents, they devise, plot and plan their actions. In reality, however, they are no less compelled by situation and circumstance, by a slowly unfolding plan which is not of their making and which confounds Gregor's belief in his mastery of this 'chess game'. Party messenger and servant of the church—from the beginning they are bound to an oath and a code; but one can desert from the ranks, disobey such orders as party and church may give, and this desertion need not be cowardice but, on the contrary, obedience to directions and signs which come from a higher authority. Gregor could return to headquarters with his report on Rerik, Helander could acquiesce in the removal of the statue.

They choose to act otherwise, aware of signs visible only to those who have learned to read like the monk, and not to those whose reading never transcended the teachings of the Lenin Academy or the interpretations of the commandments by priests conniving with the Nazis. Gregor's 'sign' is the 'shield of Tarasovka' which is more important than a victory of the moment; Helander's sign is the writing in flames which is not to be found on the pages of the prayer book but on the empty wall of the church. Both use the same words: 'Ich kann wählen: die Flucht oder das Martyrium.'

To his comrades at the Moscow academy Gregor had seemed to have lost his enthusiasm. Now, as he chooses to stay and travel a road which must lead to martyrdom, chooses to knit together the net of relationships which the fisherman Knudsen is 'to cast', now when he truly becomes a mediator, excitement returns to him with the realization that the statue is his 'comrade', that he, an agnostic, can see eye to eye with a parson, that the girl must be saved not because she is a girl but because she is in danger, and that even Knudsen, deserting the party and helping out of spite, provides the empty word 'comrade' with a new content. On the way to the boat he already knows that he will not even try to escape; and on the morning of his return, the frightening towers of Rerik seem small and no longer presage danger. 'Man kann alles richtig machen und dabei das Wichtigste versäumen', he had said to Judith; but when he sees Helander for the last time at his window, and makes a movement with his hand as if he were 'summing up', he can grin happily. He has done everything correctly, and yet has not failed in the most important aspect.

Only Helander sees this sign; for Gregor disappears, incon-

spicuous, as behoves couriers and monks. But Helander cannot
afford to remain inconspicuous; he must give a message which
can be seen, if not immediately understood, by many. His flock
deserves a message written in flames which is to be more than an
act of defiance. He must not only snatch from the grasp of *die
Anderen* those who must be saved, the statue and the girl—he
must answer cruelty by cruelty. The Christian, sworn to the
saving of life, takes life.

Clearly, a man of Helander's calling and character cannot
arrive at such a terrible solution without having tortured himself
in his search for guidance. And his path is beset, again, with
temptations and digressions from what he conceives to be his
duty. That he must not hand over the little statue, more sacred
now because it irritates *die Anderen* so much that they wish to
destroy it—that decision was made fairly easily, in the beginning,
and partly in anger. It is only when Helander has to decide what
to do after the statue has been saved that he can understand his
duty fully.

With his doctor's verdict, for which he consciously uses the
Biblical word, 'Verkündung'—with this significant 'Eingriff der
höheren Gewalt' there is offered to him a dignified exit. This he
craves, not because it would be more comprehensible to his con-
gregation, nor because he could entertain any hope of surviving
the operation, but because otherwise he would be taken away
to die in a cell, after having been tortured with the rubber hoses of
his captors. And they would break him, make him tell the where-
abouts of the statue, force him to disclose the names of his helpers.

But even if he were not so terribly afraid of utter loneliness
and pain, even if his courage were to last to the end, there would
have been no sense in such an ending. No sign would go out
from his cell, the soundless walls of this world would swallow
his screams, and his prayers would not be heard by God. For
God has left this world to Satan, God is 'deus absconditus'.

Then why not suicide? If, indeed, he is condemned to death, and neither flight nor martyrdom have any meaning, why not that escape which the old lady in Hamburg had chosen? But that again is forbidden: he may not hand himself over to *die Anderen* in this way, any more than he could hand over the statue. Satan must not win his game that easily.

There is no way out—unless he forces *die Anderen* to kill him, instantly. And he can do that only in killing first. Not in self-defence, not as judgement and retaliation, and least of all in the anger of Moses. But perhaps in judgement on God, to 'punish' God for being unmoved and unjust, in anger against God? Is that not a righteous anger, Gregor's compulsion, 'der wilde Aufstand gegen das leere, kalte Nichts, der wütende Versuch, die Tatsache des Nichts, dessen Bestätigung die Anderen sind, wenigstens für Augenblicke aufzuheben'?

And yet, is that really rebellion? At the last moment, the priest realizes that it is God's bidding that he should do first what *die Anderen* will then do to him; that he was 'stupid' to believe that he would shoot in anger and to punish God. 'Gott läßt mich schießen, weil er das Leben liebt'—a life which must not be lived in the realm of the Dead, in which dreams of Lille and Norway should not be the only reality. He does not judge, he is carrying out a predetermined judgement, and the Menetekel which appears to him in his last seconds, the denial of the void ('das Nichts'), will be a living sign for the world.

Thus each of them has risen to his responsibility, above himself and his ordinariness, has shed romantic notions and assumed, in varying degrees, true heroism. They have understood themselves and thereby others, understood a topsy-turvy world where the obvious explanations have become meaningless: where Mississippi is seven miles of flight on an ice-blue sea, where people, not coffee and tea, are smuggled across it, where gold is the colour of treason, where the faces of traitors are white, and the evil towers are of the same colour as the silent walls of a church; where you see your sign on a grey morning, among many sleeping birds on the beach, for some of these birds will stay and others are, like some men, destined to migrate.

In a world which has distorted and prostituted all values, these five have established anew that, between 'Zufall' and 'Willensfreiheit', there is a 'causality of God', denied by both parties, Communists and Nazis. Evil has been laid, if only for this moment in eternity.

That we can share this optimism is due to the persuasive quality of the author's form and style. The story is told 'from the inside': each character speaks for himself, and the author restricts himself to a description of surroundings and events; his actors draw their own conclusions. At the beginning, each appears by himself on the empty stage, wary, suspicious, safe only in solitude, and singly they file out at the end. They only rarely communicate, and then only in twos and threes, an arrangement which aptly reflects danger and fear.

And what they communicate is restricted to practical informa-tion. Their emotions, thoughts, 'reasons' are only disclosed to the reader. As their background and insight vary considerably, so do their idiom and imagery. But all apply their experience to references beyond immediate reality and charge their expres-sion with a symbolical meaning which, astoundingly, shows a close affinity. To all of them Rerik is 'dead', boy and parson apply the same meaning to 'dying in one's boots', Gregor's land-scape and Helander's church square are stages deserted by actors. Their difference, after all, is in their dialect, not in their language.

Thus, action, thought and feeling are moulded into one form, a realistic diction which, without any abstractions, contains symbolical validity, and thus applies to all of us. We do not only 'see' and understand our protagonists, we feel that their con-clusion is ours, too: 'And death shall have no dominion'.

Select Bibliography

THE CHIEF WORKS OF ALFRED ANDERSCH

Die Kirschen der Freiheit, Ein Bericht, Erzählung (1952).
Sansibar oder der letzte Grund, Roman (1957).
Piazza San Gaetano, Neapolitanische Suite, Erzählung (1957).
Geister und Leute, Zehn Geschichten, Erzählungen (1958).
Die Rote, Roman (1960).
Ein Liebhaber des Halbschattens, drei Erzählungen (1963).
Fahrerflucht, Hörspiel (1963).
Aus einem römischen Winter, Reisebilder (1966).
Efraim, Roman (1967).
Hohe Breitengrade oder Nachrichten von der Grenze (1969).
Tochter, Erzählung (1971).
Mein Verschwinden in Providence, Neun Erzählungen (1971).
Norden Süden rechts und links. Von Reisen und Büchern (1972).
Winterspelt, Roman (1974).
Mein Lesebuch oder Lehrbuch der Beschreibungen (1979).
Der Vater eines Mörders, Erzählung (1980).

For a complete account of Andersch's life and work see the study
by Erhard Schütz published in 1980.

NOTE

*An asterisk in the text denotes that the word or phrase so marked is
dealt with in the Notes beginning on p. 192.*
*Only words whose meanings cannot easily be found in the Schöffler-
Weis Compact German & English Dictionary (Harrap, 1962)
have been annotated.*

Ernst Barlach: *Lesender Klosterschüler*
(see pp. 52 and 65–66)

Und dem Tod soll kein Reich mehr bleiben:
Die da liegen in Wassergewinden im Meer
sollen nicht sterben windig und leer,
nicht brechen die, die ans Rad man flicht,
die am Rechen man bricht, deren Sehnen man zerrt:
Ob der Glaube auch splittert in ihrer Hand
und ob sie das Einhorn des Bösen durchrennt,
aller Enden zerspellt, sie zerreißen nicht!
Und dem Tod soll kein Reich mehr bleiben.*

DYLAN THOMAS

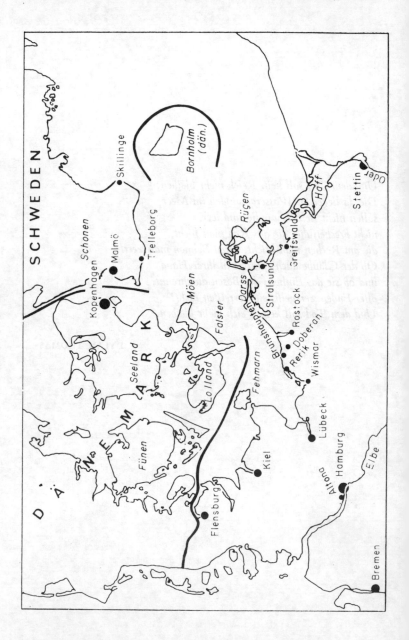

DER JUNGE

Der Mississippi wäre das Richtige, dachte der Junge, auf dem Mississippi konnte man einfach ein Kanu klauen und wegfahren, wenn es stimmte, was im Huckleberry Finn* stand. Auf der Ostsee würde man mit einem Kanu nicht sehr weit kommen, ganz abgesehen davon, daß es an der Ostsee nicht mal schnelle wendige Kanus gab, sondern nur so olle* schwere Ruderboote. Er sah vom Buch auf, unter der Treenebrücke* floß das Wasser still und langsam durch; die Weide, unter der er saß, hing ins Wasser rein, und gegenüber, in der alten Gerberei, regte sich, wie immer, nichts. Der Mississippi wäre besser als die Speicher in der alten, verlassenen Gerberei und die Weide am langsamen Fluß. Auf dem Mississippi wäre man weg,* während man sich in den Speichern in der Gerberei und unter der Weide nur verstecken konnte. Unter der Weide auch nur, solange sie Blätter hatte, und die hatten schon mächtig begonnen abzufallen, und trieben gelb auf dem braunen Wasser davon. Verstecken war übrigens nicht das Richtige, dachte der Junge,—man mußte weg sein.

Man mußte weg sein, aber man mußte irgendwohin kommen. Man durfte es nicht so machen wie Vater, der weggewollt hatte, aber immer nur ziellos auf die offene See hinausgefahren war. Wenn man kein anderes Ziel hatte als die offene See, so mußte man immer wieder zurückkehren. Erst dann ist man weg, dachte der Junge, wenn man hinter der offenen See Land erreicht.

GREGOR

Es ist möglich, dachte Gregor, vorausgesetzt, man ist nicht bedroht, die licht stehenden Kiefern* als Vorhang anzusehen. Etwa so: offen sich darbietende Konstruktion aus hellen Stangen, von denen mattgrüne Fahnen unterm grauen Himmel regungslos wehten, bis sie sich in der Perspektive zu einer Wand aus flaschenglasigem Grün zusammenschlossen. Die fast schwarz makadamisierte Straße deutete man dann als Naht zwischen den beiden Vorhanghälften; man trennte sie auf, indem man sie mit dem Fahrrad entlangfuhr; nach ein paar Minuten würde der Vorhang sich öffnen, um den Blick auf das Szenarium freizugeben: Stadt und Meeresküste.

Da man jedoch bedroht war, dachte Gregor, war nichts wie etwas anderes. Die Gegenstände schlossen sich in die Namen, die sie trugen, vollkommen ein. Sie wiesen nicht über sich selbst hinaus.*

Es gab also nur Feststellungen: Kiefernwald, Fahrrad, Straße. Wenn der Wald zu Ende war, würde man die Stadt und die Küste erblicken—keine Kulissen für ein Spiel, sondern den Schauplatz einer Drohung, die alles in unabänderliche Wirklichkeit einfror. Ein Haus würde ein Haus sein, eine Woge eine Woge, nichts weiter und nichts weniger.

Erst jenseits des Hoheitsgebietes der Drohung, sieben Meilen von der Küste* entfernt, auf einem Schiff nach Schweden,— wenn es ein Schiff nach Schweden geben sollte—, würde das Meer, zum Beispiel das Meer, sich wieder mit einem Vogelflügel vergleichen lassen, einer Schwinge aus eisigem Ultramarin, die den Spätherbst Skandinaviens umflog. Bis dahin war das Meer nichts anderes als das Meer, eine bewegte Materiemasse, die man zu prüfen hatte, ob sie geeignet war, eine Flucht zu tragen.

Nein, dachte Gregor, nicht vom Meer hängt es ab, ob ich fliehen kann. Das Meer trägt. Es hängt von Matrosen und Kapitänen ab, von schwedischen oder dänischen Seeleuten, von ihrem Mut oder ihrer Geldgier, und wenn es keine schwedischen oder dänischen Seeleute gibt, so hängt es von den Genossen* in Rerik ab, von den Genossen mit ihren Fischkuttern, es hängt von ihren Blicken und Gedanken ab, davon, daß ihre Blicke ein Abenteuer anvisieren,* ihre Gedanken eine leichte, Segel setzende Bewegung ausführen können. Es wäre einfacher, dachte Gregor, vom Meer abhängig zu sein, statt von den Menschen.

DER JUNGE

Landein abzuhauen, hatte auch keinen Zweck, dachte der Junge,
der unter der Weide am Fluß saß. Huckleberry Finn hatte die Wahl
gehabt, entweder in die großen Wälder zu gehen und als Trapper zu
leben oder auf dem Mississippi zu verschwinden, und er hatte sich für
den Mississippi entschieden. Aber ebensogut hätte er in die Wälder
gehen können. Hier jedoch gab es keine Wälder, in die man verschwinden konnte, es gab nur Städte und Dörfer und Felder und Weideland und nur sehr wenig Wald, auch wenn man noch so weit ging.
Übrigens ist das alles Blödsinn, dachte der Junge, ich bin kein kleiner
Junge mehr, ich bin schon seit Ostern aus der Schule und ich glaube gar
nicht mehr an die Wildwestgeschichten. Nur daß Huckleberry Finn
keine Wildwestgeschichte war und daß man es auf irgendeine Weise
genau so machen mußte wie Huckleberry Finn. Man mußte raus.*

*Es gab drei Gründe, weshalb man aus Rerik raus mußte. Der erste
Grund lautete: weil in Rerik nichts los war. Es war tatsächlich
überhaupt nichts los. Niemals wird hier irgend etwas mit mir geschehen, dachte der Junge, während er den herbstgelben, lanzettförmigen
Weidenblättern nachsah, wie sie auf der Treene langsam abschwam-
men.*

HELANDER

Knudsen würde helfen, dachte Pfarrer Helander, Knudsen war nicht so. Er trug nicht nach. Gegen den gemeinsamen Feind würde er helfen.

Von draußen kein Echo. Es gab nichts Leereres als den Georgen-Kirchplatz im Spätherbst. Helander betete einen Augenblick heftig gegen die Leere an. Gegen die drei schon entlaubten Linden in der Ecke zwischen Querschiff und Chor, gegen das schweigende dunkle Rot der Ziegelwand, deren Höhe er vom Fenster seiner Studierstube aus nicht abmessen konnte: das südliche Querschiff der Georgenkirche. Der Boden des Platzes war ein wenig heller als die braunroten Backsteine der Kirche und des Pfarrhauses und der niedrigen Häuser, die sich anschlossen, alte Häuser aus gebrannten Ziegeln, Häuser mit kleinen Treppengiebeln und einfache Häuser mit Dächern aus glasierten Hohlziegeln.

Niemals ist jemand über diesen Platz gegangen, dachte Helander, den Blick auf das sauber gefegte Pflaster gesenkt. Niemals. Es war ein absurder Gedanke. Natürlich gingen Leute auch über diesen toten Winkel des Kirchplatzes, in dem das Pfarrhaus stand. Die Fremden, die im Sommer aus den Seebädern kamen, um die Kirche zu betrachten. Mitglieder seiner Gemeinde. Der Küster. Pfarrer Helander selbst. Dennoch, dachte Helander, war der Platz die vollkommene Einsamkeit.

Ein Platz so tot wie die Kirche, dachte der Pfarrer. Weshalb nur Knudsen helfen konnte.

Er hob den Blick: die Querschiffwand. Dreißigtausend Ziegel als nackte Tafel ohne Perspektive, zweidimensional, braunes Rot, schieferfarbenes Rot, gelbes Rot, blaues Rot, zuletzt nur ein einziges, dunkel phosphoreszierendes Rot, ohne Tiefe vor seinem, Helanders Fenster hängend, sein jahrzehntelanges

31

Gegenüber, die Tafel, auf der die Schrift nicht erschien,* auf die
er wartete, so daß er sie mit seinen eigenen Fingern bemalte, das
Geschriebene immer wieder auswischte, neue Worte und
Zeichen schrieb. Das Pflaster des Platzes wartete auf Schritte,
die nie ertönten; die Ziegelwand auf eine Schrift, die nie erschien.

Pfarrer Helander war so ungerecht, den Ziegeln die Schuld
daran zu geben, den dunklen Ziegeln der Häuser und der Kirche.
Seine Vorfahren waren mit dem reisigen König* aus einem Land
gekommen, in dem die Häuser aus Holz gebaut und bunt gestrichen wurden. In jenem Lande knirschten die Schritte fröhlich
auf dem Kies vor den hölzernen Pfarrhäusern, und auf den Balken
war die Botschaft der Gerechtigkeit und des Friedens einge-
schnitzt. Fröhliche Träumer waren seine Vorfahren gewesen, als
sie sich verleiten ließen, in ein Land zu ziehen, in dem die
Gedanken so dunkel und maßlos waren wie die Steinwände der
Kirchen, darinnen sie begannen, die rechte Botschaft zu predigen.
Sie wurde nicht gehört, die rechte Botschaft: die Finsternis war
stärker geblieben als das kleine Licht, das sie aus dem freundlichen Land mitbrachten.

Die dunklen Gedanken und die maßlosen Ziegelkirchen waren
daran schuld, daß er nun gehen und Knudsen um Hilfe bitten
mußte, dachte der Pfarrer. Sein heftiges, gerötetes, leidenschaft-
liches Gesicht färbte sich stärker. Seine Prothese knarrte, als er
zum Schreibtisch ging, um die Schlüssel des Pfarrhauses aus der
Schublade zu nehmen, und er spürte den Schmerz in seinem
Beinstumpf, der sich seit einiger Zeit wieder meldete, wenn er
einen Schritt zu schnell ging. Der Schmerz hatte die Form eines
Stiches: er spießte ihn auf. Der Pfarrer blieb stehen und ballte
die Fäuste. Und auf einmal, während der Spieß langsam
zurückgezogen wurde, hatte er das Gefühl, als ob hinter ihm,
auf der Kirchenwand, von der er sich abgewendet hatte, die
Schrift erschien, auf die er wartete. Vorsichtig drehte er sich
um. Aber die Wand war so leer wie immer.

DER JUNGE

Zwar saß er versteckt unter einem Vorhang aus Weidenzweigen, aber er konnte auf den Turm von St. Georgen blicken und die Uhrzeit ablesen. Halb drei. In 'ner halben Stunde muß ich auf dem Kutter sein, weil Knudsen um fünf Uhr abfahren will, dachte er, und dann fängt wieder die langweilige Fischerei an, das Herumkriechen mit dem Boot am Buksand und unter dem Land,* die eintönige Arbeit mit dem Senknetz,* zwei bis drei Tage lang, das Zusammensein mit dem mürrischen Fischer. Knudsen fuhr nie auf die offene See hinaus, wie Vater, obwohl Vaters Kutter nicht größer gewesen war als Knudsen seiner.* Aber dafür war Vater auch auf See umgekommen. Und auch deswegen muß ich raus, dachte der Junge, weil ich gehört habe, wie sie sagten, mein Vater sei wieder einmal stinkbesoffen gewesen, als er umkam. Huck Finn sein Vater war ein Säufer, deshalb mußte Huck Finn ja ausreißen, aber ich muß weg, weil mein Vater keiner war, sondern weil sie es ihm nur nachsagen, weil sie auf ihn neidisch sind, denn er ist manchmal auf die offene See hinaus gefahren. Nicht einmal eine Tafel haben sie für ihn in die Kirche gehängt, eine Tafel mit seinem Namen und den Worten „In den Stiefeln gestorben" und das Geburts- und Sterbedatum, wie sie es für alle machen, die auf See geblieben sind.* Ich hasse sie alle und das ist der zweite Grund, warum ich von Rerik weg muß.

KNUDSEN

Knudsen hatte eine Wut. Um sich zu beruhigen, legte er eine Patience. Vorgestern war Brägevoldt aus Rostock bei ihm gewesen und hatte für heute nachmittag einen Instrukteur der Partei* angemeldet. Knudsen hatte zu Brägevoldt gesagt: die Partei kann mich am Arsch lecken. Die Partei hätte schießen sollen,* statt jetzt Instrukteure zu schicken. Aber das neue Fünfergruppensystem,* hatte Brägevoldt gesagt, sehr interessant, du wirst sehen. Püttscherkram,* hatte Knudsen geantwortet, in Rerik gibt es nur noch eine Einergruppe, und die bin ich. Brägevoldt: Und die übrigen? Knudsen: Schiß. Brägevoldt: Und du? Knudsen: Keine Lust. Außerdem muß ich auf den Dorsch. Brägevoldt hatte was von Schockwirkung infolge Zunahme des Terrors* gesagt, die sich legen würde, und war abgeschoben, nachdem er den Treff* zwischen Knudsen und dem Instrukteur festgelegt hatte.

Während Knudsen die Karten auflegte, konnte er nachdenken. Brägevoldt oder die Partei hatten ihn in eine schwierige Lage gebracht. Die anderen Boote waren schon vorgestern ausgelaufen. Knudsen machte sich verdächtig, wenn die „Pauline" noch lange im Hafen lag. Der Junge wurde auch schon ungeduldig. Ganz abgesehen vom Verdienst, der flöten ging. Der schöne Dorsch. Knudsen juckte es nach Dorschen. Die Patience ging auf, und er schmiß die Karten hin.

Er ging in das Gärtchen hinaus, das hinter dem Haus lag, einen winzigen Raum aus schon matt verdunkeltem Grün, in dem noch ein paar weiße Astern leuchteten. An seinem Ende stand ein Kaninchenstall; Knudsen hörte die Tiere rascheln. Bertha saß trotz der Kälte auf der Bank und strickte. Hol dir einen Mantel, sagte Knudsen, wenn du schon draußen sitzen mußt.

34

Sie ging freundlich lachend ins Haus und kehrte nach ein paar Sekunden zurück, den Mantel an. Knudsen sah ihr zu, wie sie sich wieder auf die Bank setzte. Sie lächelte. Knudsen blickte auf ihren blonden Scheitel, sie war blond und sanft, eine hübsche junge Frau von vierzig Jahren. Ich muß dir einen Witz erzählen, sagte sie. Ängstlich blickte sie zu ihm auf und fragte: hörst du auch zu. Ja, ich höre zu, sagte Knudsen, während er an Brägevoldt und den Parteiauftrag dachte. In Machnow, erzählte Bertha, sah einmal ein Mann zu, wie die Irren mitten im Winter vom Sprungbrett in das Becken des Schwimmbades sprangen. Er sagte zu ihnen: aber es ist doch gar kein Wasser drin. Da riefen sie zurück: wir üben doch nur für den Sommer, während sie sich ihre blauen Flecken rieben. Warum hat sie sich gerade diesen grausamen Witz ausgesucht, dachte Knudsen, während Bertha ihn erwartungsvoll ansah. Er lächelte und sagte: Ja, ja, Bertha, ein guter Witz. Wenn ich nicht aufpasse, dachte er, werden sie auch dich zu den Irren bringen, obwohl du gar nicht irre bist. Sie hat nur einen kleinen Tick, überlegte er. Es lag ein paar Jahre zurück, daß sie begonnen hatte, diesen Witz von den Irren, die ins leere Schwimmbecken sprangen, zu erzählen. Sonst war sie freundlich und sanft, eine gute Frau. Er hatte nie herausgebracht, wann und von wem sie den durch und durch schlimmen Witz gehört hatte. Sie erzählte ihn überall, aber sie erzählte ihn seit Jahren, und nach einer Weile hatte die Stadt aufgehört, über Bertha Knudsen zu reden. Doch vor einem Jahr war einer von den Anderen* zu Knudsen gekommen und hatte gesagt: Ihre Frau ist geistesgestört, wir müssen sie in eine Anstalt bringen. Mit der Hilfe von Doktor Frerking hatte Knudsen es verhindert, daß sie ihm die Frau wegnahmen. Er wußte, was sie mit den Geisteskranken machten,* wenn sie sie erst einmal in den Anstalten hatten, und er hing an Bertha. Wenn er mit dem Kutter draußen auf See war, hatte er immer Angst, bei der Rückkehr Bertha nicht mehr vorzufinden.

Übrigens hatte er den Eindruck gehabt, daß sie ihn mit der Drohung, Bertha in eine Anstalt zu bringen, erpressen wollten. Sie wollten, daß er sich ruhig verhielte. Sie gebrauchten die arme Bertha als Waffe gegen die Partei.

Mach mir den Proviant zurecht, sagte er, ich fahre nachher, und er sah ihr freundliches Lachen, ihr immerwährendes und fatales Lachen auf ihrem hübschen, noch immer jungen Gesicht, während er wieder ins Haus hineinging. Er setzte sich auf die Bank am Ofen und zündete sich seine Pfeife an.

Er mußte sich jetzt einfach entscheiden, ob er den Treff mit dem Instrukteur einhalten würde. Es war drei Uhr nachmittags und er hatte noch eine Stunde Zeit. Das Boot war seeklar; der Junge war für drei Uhr an Bord bestellt; um vier Uhr konnten sie schon weit vor der Lotseninsel draußen sein.

Es ging nicht um eine Stunde. Knudsen dachte schärfer. Den Instrukteur treffen, hieß sich verstricken. Die Übrigen hatten das schneller begriffen als er: sie hatten sich schon gelöst. Elias hatte es ihm ganz offen ins Gesicht gesagt: hör mal, wir sprechen nicht mehr über die Partei. Es war merkwürdig zugegangen: zwei Jahre Vorbereitung auf die Illegalität*, dann zwei Jahre des Zusammenhaltens, darnach Stagnation. Und nun, im Jahre 1937, da niemand mehr viel befürchtete, zogen die Anderen plötzlich die Schraube an. Man hörte von Verhaftungen in Rostock, in Wismar, in Brunshaupten, an der ganzen Küste. Sie zerbrachen das Holz, als es mürbe geworden war. Sie bereiten den Krieg vor, hatte Knudsen zu Elias gesagt. Elias hatte sich abgewendet. Die Genossen sprachen alle noch mit Knudsen, aber nicht mehr über Politik.

Das war auch wieder günstig, denn so erfuhren die Anderen nicht, wer die Partei leitete. Sie wußten, daß es Knudsen gab, Mathiasson, Jenssen, Elias, Kröger, Bahnsen und noch einige andere. Sie alle zu verhaften, das ging nicht, in einer so kleinen Stadt wie Rerik. Die Anderen mußten sich darauf verlassen können, daß nicht mehr über die Partei gesprochen wurde. Wenn nicht mehr über sie gesprochen wurde, gab es die Partei nicht mehr.

Sie wußten natürlich, daß es Einen, wenigstens Einen geben würde, der die Partei weiterführte. Knudsen war überzeugt, daß sie mit dem Einen rechneten. Deshalb war es gefährlich für ihn, daß die „Pauline" noch im Hafen lag, während die ganze Fischerflotte ausgelaufen war. Aber es war ungefährlich, wenn er den Instrukteur nicht traf. Nach den Regeln der Partei kannte der Instrukteur Knudsen nicht. Wenn Knudsen nicht zu dem Treff ging, konnte der Instrukteur schwarz werden vor Warten.* Dann war Knudsen raus. Wenn die neuen Anweisungen des Zentralkomitees die Partei in Rerik nicht erreichten, dann gab es keine Partei in Rerik mehr. Dann gab es für Knudsen wie für alle anderen nur noch die Dorsche und die Heringe. Und Bertha.

Wenn er aber hinging, so verstrickte er sich in die Maßnahmen, die die Partei traf, dachte Knudsen. Er konnte nicht hingehen und die Anweisungen der Partei dann nicht ausführen. Wenn er das wollte, brauchte er gar nicht erst hinzugehen. Jetzt bin ich der Fisch, dachte Knudsen, der Fisch vor der Angel. Ich kann anbeißen oder nicht. Kann der Fisch sich entscheiden, fragte er sich. Natürlich kann er, dachte er mit seinem alten Fischeraberglauben. Und mit seiner alten Fischerverachtung: der Fisch ist dumm. Aber auf diesen Köder habe ich mein Leben lang angebissen, entsann er sich. Und immer hat der Haken weh getan. Aber immer hat er mich in die Luft gerissen, in der man die Schreie der Fische hören konnte. Verdammt will ich sein, dachte Knudsen voller Wut, wenn ich ein stummer Fisch sein soll.

DER JUNGE

Vielleicht aber ist Vater doch ein Säufer gewesen, überlegte der Junge. Ich war fünf, als er umkam, und ich kann mich überhaupt nicht mehr an ihn erinnern und ich kann nicht nachprüfen, was die Leute sagen. Sie haben ihn auch längst vergessen, und nur, wenn sie mich sehen, denken sie sich vielleicht manchmal: Ach das ist der Junge von Hinrich Mahlmann, dem Säufer. Möglich, daß Vater ein Säufer war, aber er fuhr doch nicht mit seinem Boot auf die offene See hinaus, weil er trank. Der Junge las schon lange nicht mehr; es schien ihm, als gäbe es einen Zusammenhang zwischen dem Trinken und dem Hochseetod seines Vaters, aber einen ganz anderen, als den, den die Leute vermuteten. War es nicht gerade umgekehrt, wie sie behaupteten, fragte er sich; trank Vater etwa, weil er auf die offene See hinaus mußte? Trank er sich Mut an,* weil die unheimliche See ihn rief, und trank er, um zu vergessen, was er draußen gesehen hatte—die Geister der Nacht und der See; trank er um hinunterzuspülen, was ihm dort draußen begegnet war—die Ahnung, daß er in der hohen See sterben würde, allein und betrunken sterben in der hohen, der tiefen See?

38

JUDITH

Sie saß auf dem Bett eines Fremdenzimmers im „Wappen von Wismar"* und kramte in ihrer Handtasche. Der Koffer stand neben der Türe, so, wie der Hausknecht ihn hingestellt hatte, und Judith hatte den Regenmantel nicht ausgezogen, denn sie wollte gleich wieder ausgehen. Sie suchte nur die Zahnpasta und die Seife aus der Handtasche, um sie auf das Glasbord über dem Waschbecken zu legen. Dann sah sie zum Fenster hinaus: ein Hohlziegeldach unter einem nördlichen, hellen, vollständig leeren Herbsthimmel,—Judith schauerte zusammen: das alles ging sie nichts an. Ich hätte mir doch ein Zimmer nach vorne raus* geben lassen sollen, dachte sie, da hätte ich wenigstens den Hafen gesehen, nachsehen können, ob ausländische Schiffe da sind, die mich mitnehmen können. Wenn ich nur etwas mehr von Schiffen verstehen würde, dachte sie, ich fürchte, ich kann keinen dänischen oder schwedischen Dampfer von einem deutschen unterscheiden.

Sie hatte übrigens überhaupt keinen Dampfer im Hafen liegen sehen, vorhin, ehe sie das „Wappen von Wismar" betreten hatte, nachdem sie mit dem Mittagszug aus Lübeck gekommen war. Nur ein paar Fischkutter und einen alten, rostigen Schoner, der anscheinend seit Jahren nicht mehr benutzt wurde.

Zum erstenmal kamen ihr Bedenken, ob Mamas Rat, es von Rerik aus zu versuchen, richtig gewesen war. Travemünde, Kiel, Flensburg, Rostock—das wird alles überwacht, hatte Mama gesagt, du mußt es in Rerik versuchen, das ist ein toter kleiner Platz, an den denkt niemand. Nur die kleinen schwedischen Holzsteamer* laden da aus. Du mußt ihnen einfach Geld anbieten, viel Geld, dann nehmen sie dich ohne weiteres mit.— Mama hatte immer ein kleines, sentimentales Faible* für Rerik

gehabt, seitdem sie die Stadt zwanzig Jahre zuvor mit Papa gesehen hatte, auf der Rückreise von einem glücklichen Sommer in
Rügen,* aber ein glücklicher Tag in Rerik war sicher ganz anders
als ein Tag auf der Flucht in Rerik, unter einem leeren Spätherbst-
himmel.

Du mußt dich entschließen, Kind, hatte Mama erst gestern
gesagt. Judith blickte auf das Waschbecken und den Koffer und
dachte wieder an den Parterresalon ihres Hauses am Leinpfad,*
an das letzte Frühstück mit Mama, an den Blick in den Garten, in
dem die spätesten Georginen vor dem dunklen, olivseidenen
Kanal leuchteten, und wie sie die Tasse klirrend niedergesetzt und
gerufen hatte, daß sie Mama nie, nie, nie allein lassen würde.

Willst du warten, bis sie dich abholen,* hatte Mama gefragt,
willst du mir das antun?

Und soll ich fortgehen und wissen, daß du abgeholt wirst und
mir vorstellen, was sie mit dir machen?

Ach, mich werden sie schon in Ruhe lassen, hatte Mama
gesagt, ohne den Blick auf ihre gelähmten Beine zu senken.
Ich würde ihnen zu viel Umstände machen. Und nach dem
Krieg sehen wir uns dann wieder.

Vielleicht werden sie auch mich gar nicht holen, hatte Judith
erwidert. Vielleicht wird alles gar nicht so schlimm, wie du
denkst, Mama!

Sie werden ihren Krieg machen, Kind, glaub mir! Er ist ganz
nah, ich kann ihn schon fühlen. Und sie werden uns alle sterben
lassen in diesem Krieg.

Ich gehe unter keinen Umständen fort von dir, Mama, hatte
Judith geantwortet. Es ist mein letztes Wort. Und plötzlich
hatten sie sich umschlungen und heftig geweint. Dann war
Judith in die Küche gegangen, um das Frühstücksgeschirr
abzuspülen.

Als sie in den Salon zurückkam, war Mama tot. Sie war über
dem Tisch zusammengesunken, und in der rechten Hand hielt

sie noch die Tasse, aus der sie das Gift getrunken hatte. Judith hatte die Reste der geleerten Kapsel in der Tasse gesehen und gewußt, daß nichts mehr zu machen war.

Sie war auf ihr Zimmer gegangen und hatte den Koffer gepackt und dann war sie zu Direktor Heise in die Bank gefahren und hatte sich Geld aus Papas Erbe geben lassen und Heise Bescheid gesagt. Er würde Mama bestatten lassen und dafür sorgen, daß die Fahndung nach Judith so spät wie möglich in Gang kam. Sie hatte ihm nicht gesagt, daß sie nach Rerik gehen würde. Heise hatte verschiedene ausgezeichnete Fluchtwege vorgeschlagen, aber Judith hatte dazu nur eigensinnig den Kopf geschüttelt. Mama war gestorben, damit sie, Judith, nach Rerik gehen könne. Es war ein Testament, und sie hatte es zu vollstrecken.

Sie hatte sich Rerik ganz anders vorgestellt. Klein und bewegt und freundlich. Aber es war klein und leer, leer und tot unter seinen riesigen roten Türmen. Erst als Judith aus dem Bahnhof trat und die Türme erblickte, hatte sie sich daran erinnert, daß Mama von diesen Türmen entzückt gewesen war. Das sind keine Türme, hatte sie immer gesagt, das sind Ungeheuer, wunderbare rote Ungeheuer, die man streicheln kann. Unter dem kalten Himmel aber kamen sie Judith wie böse Ungeheuer vor. Auf jeden Fall waren es Türme, die sich um Mamas armen Gifttod nicht kümmerten, das fühlte Judith. Auch nicht um ihre Flucht. Von diesen Türmen war nichts zu erwarten. Sie war schnell unter ihnen vorbeigegangen, durch die Stadt hindurch, zum Hafen. Dort konnte sie ein Stück von der offenen See erblicken. Die See war blau, ultramarinblau und eisig. Und es lag kein Dampfer, kein noch so kleiner Dampfer im Hafen.

Dann war sie in das „Wappen von Wismar" gegangen, weil es sauber aussah und mit heller Ölfarbe gestrichen war. Der Wirt, ein Block mit einem weißen, fetten Gesicht, schien erfreut über den unerwarteten Gast: Na, Fräulein, was machen Sie denn

noch so spät im Jahr in Rerik? Judith hatte etwas von den Kirchen
gemurmelt; sie wolle sich die Kirchen ansehen.   Er nickte und
schob ihr das Gästebuch hin.   Sie trug sich ein: Judith Leffing.
Das klang ganz gewöhnlich hanseatisch.*   Der Wirt hatte keinen
Paß verlangt.   Rerik schien wirklich ein toter Platz zu sein.

Judith hörte auf, in ihrer Handtasche zu kramen und dachte an
ihren Namen.   Judith Levin.   Es war ein stolzer Name, ein
Name, der abgeholt werden würde,* ein Name, der sich verber-
gen mußte.   Es war furchtbar, Judith Levin zu sein in einer toten
Stadt, die unter einem kalten Himmel von roten Ungeheuern
bewohnt wurde.

Zuletzt suchte Judith eine Fotografie ihrer Mutter hervor und
legte sie auf das Kopfkissen.   Sie zwang sich, nicht zu weinen.

DER JUNGE

*Wenn wir Vaters Boot noch hätten, dachte der Junge, dann wäre ich
so frei wie Huckleberry Finn. Bei ruhiger See würde ich mich mit
einem Kutter schon hinauswagen, hinaus und nach Dänemark oder
Schweden rüber. Aber Mutter hatte Vaters Boot verkauft, es war
geborgen worden, kieloben treibend und ziemlich havariert,* aber es
war doch noch etwas wert gewesen, und Mutter hatte es verkauft, weil
sie Schulden hatten. Und jetzt war er Knudsens Junge, und es würde
Jahre dauern, bis er eine Fangbeteiligung* bekam, und darnach wieder
Jahre, bis er soviel gespart hatte, daß er ein eigenes Boot kaufen konnte.
Ich will aber gar kein Boot für die langweilige Fischerei haben, dachte
der Junge, ich will ein Boot für die offene See haben, ein Boot, um hier
heraus zu kommen. Alles, was Huck Finn konnte, kann ich auch:
ich kann angeln und ich kann Fische braten und ich kann mich gut
verstecken. Aber Huck Finn hatte den Mississippi und ein gutes Boot
für den Mississippi. Der Junge stand auf, schob das Buch in die
Tasche und ging zum Hafen runter. Er hatte vollständig vergessen,
daß er sich noch an den dritten Grund erinnern wollte, den letzten
Grund dafür, daß er raus wollte, raus aus Rerik.*

GREGOR

Es kam so, wie Gregor es sich vorgestellt hatte: die Kiefern hörten auf einmal auf, die Straße hob sich noch einmal auf den Rücken der Moräne, und von oben bot sich das erwartete Bild: die Weiden, die Koppeln, von schwarzweißen Kühen und von Pferden gefleckt, dann die Stadt, dahinter das Meer, eine blaue Wand.

Aber die Stadt war zum Staunen. Sie war nichts als ein dunkler, schieferfarbener Strich, aus dem die Türme aufwuchsen. Gregor zählte sie: sechs Türme. Ein Doppelturm und vier einzelne Türme, die Schiffe ihrer Kirchen weit unter sich lassend, als rote Blöcke in das Blau der Ostsee eingelassen, ein riesiges Relief. Gregor stieg vom Rad und betrachtete sie. Er war auf diesen Anblick nicht gefaßt. Sie hätten es mir sagen können, dachte er. Aber er wußte, daß die Leute im Zentralkomitee für so etwas keinen Sinn hatten. Für sie war Rerik ein Platz wie jeder andere, ein Punkt auf der Landkarte, in dem sich eine Zelle der Partei befand, eine Zelle hauptsächlich aus Fischern und den Arbeitern einer kleinen Werft. Vielleicht war auch nie jemand vom Zentralkomitee in Rerik gewesen. Sie hatten keine Ahnung, daß es hier diese Türme gab. Und wenn sie es wußten, so würden sie doch nur über Gregors Ansicht lachen, daß solche Türme einen Einfluß auf die Parteiarbeit hätten. Wenn Gregor ihnen gesagt hätte, was er im Anblick von Rerik dachte, daß man nämlich in einer Stadt, in der es solche Türme gab, mit ganz anderen Argumenten arbeiten müsse, als mit denen, die für gewöhnlich in den Flugblättern standen, so hätten sie nur die Schultern gezuckt. Bestenfalls hätten sie gesagt: dort wohnen genau die gleichen Menschen wie auf dem Wedding.* Und das war richtig. Die Fischer von Rerik waren sicherlich

44

genau die gleichen Menschen wie die Arbeiter von Siemensstadt.*
Aber sie wohnten unter den Türmen. Sie wohnten selbst dann
noch unter ihnen, wenn sie auf die See hinausfuhren. Denn die
Türme waren auch Seezeichen.

Von ihnen aus muß die See bis an die Grenze des Hoheitsgebietes zu beobachten sein, dachte Gregor. Sieben Meilen.
Sieben Meilen Flucht lagen im Blick dieser Türme. Aber auf
keinen Fall saßen die Anderen in den Turmluken. Das war
eine gute Sache, dachte Gregor, daß es keine Türme für die
Anderen waren. Wer saß denn darin? Niemand saß darin. Es
waren leere Türme.

Aber obwohl die Türme leer waren, fühlte sich Gregor von
ihnen beobachtet. Er ahnte, daß es schwierig sein würde, unter
ihren Blicken zu desertieren. Er hatte es sich ziemlich einfach
vorgestellt: sein letzter Instrukteurauftrag lautete auf Rerik,*
er würde ihn ausführen und dabei den Verbindungsmann aus
Rerik über die Hafen- und Transportverhältnisse ausforschen.
Aber er hatte nicht mit diesen Türmen gerechnet. Sie sahen
alles. Auch einen Verrat.

Plötzlich erinnerte sich Gregor daran, daß er sich schon einmal
von einem Hügel aus einer Stadt am Meer genähert hatte. Die
Stadt hatte Tarasovka geheißen. Tarasovka auf der Halbinsel
Krim.* Es war Abend geworden und sie hatten endlich die
Erlaubnis bekommen, die Luken der Panzer zu öffnen, und
Gregor war sogleich mit dem Oberkörper durch die Luke
gekrochen, um frische Luft zu schöpfen, den Abendwind eines
Manövertags der Roten Armee. Da hatte er die Stadt drunten
am Fuß der Steppenhügel liegen sehen, ein Gewirr aus grauen
Hütten an der Küste eines golden schmelzenden Meeres,—ganz
anders war diese Stadt gewesen als Rerik mit seinen roten Tür-
men vor dem eisigen Blau der Ostsee—, und der Genosse Leut-
nant Choltschoff, aufrecht in der Luke des Panzers, der vor
Gregors Panzer fuhr, hatte ihm zugerufen: Das ist Tarasovka,

Grigorij! Wir haben Tarasovka genommen! Gregor lachte zurück, aber es war ihm gleichgültig, daß die Tankbrigade, der er als Manövergast* zugeteilt war, Tarasovka genommen hatte, er war plötzlich fasziniert von dem goldenen Schmelzfluß des Schwarzen Meeres und dem grauen Gestrichel* der Hütten am Ufer, ein schmutzig-silbernes Gefieder, das sich zusammenzuziehen schien unter der Drohung eines dumpf dröhnenden Fächers aus fünfzig Tanks, aus fünfzig dröhnenden Wolken Steppenstaubs, aus fünfzig Pfeilen eisernen Staubs, gegen die Tarasovka den goldenen Schild seines Meeres erhob. Und Gregor sah, wie der Kommandeur, im vordersten Panzer stehend, seinen Arm erhob; das Dröhnen erstarb, die große Steppenbewegung* stand still, und die Wolken Staubs erhoben sich zu Schleiern, zu Fahnen, die sich senkten vor dem Schild aus Gold.. Unter seinem Gefieder aus fünfhundert grauen Hütten begann Tarasovka wieder zu atmen, ehe der Tag erlosch.

Im Anblick Reriks erinnerte Gregor sich an Tarasovka, weil dort sein Verrat begonnen hatte. Der Verrat hatte darin bestanden, daß ihm, als Einzigem, der goldene Schild wichtiger gewesen war als die Einnahme der Stadt. Gregor konnte nicht feststellen, ob Choltschoff und die übrigen Offiziere und Soldaten den Schild überhaupt gesehen hatten; sie sprachen nur über ihren Sieg. Für Choltschoff war Tarasovka eine Stadt, die zu erobern war; für die Genossen des Zentralkomitees war Rerik ein Punkt, der gehalten werden mußte—es gab keine goldenen Schilde, die sich erhoben, keine roten Riesentürme, die Augen hatten.

Vielleicht hatte der Verrat schon früher begonnen, vielleicht schon in einem plötzlichen Ermüden während einer Vorlesung in der Lenin-Akademie,* auf die der Jugendverband* Gregor geschickt hatte, für seine organisatorischen Verdienste in Berlin. Es wäre besser gewesen, wenn sie mich nie dorthin geschickt hätten, dachte Gregor, in das Land, in dem wir gesiegt haben.

Wenn der Sieg errungen war, hatte man Zeit, sich für anderes zu interessieren als für den Kampf. Sie hatten ihm zwar gepredigt, auch in ihrem Lande ginge der Kampf weiter, aber ein Kampf nach dem Sieg war etwas ganz anderes als ein Kampf vor dem Sieg. Am Abend von Tarasovka hatte Gregor begriffen, daß er Siege haßte.

Was hatte er aus Moskau mitgebracht? Nichts als einen Namen. In die Lenin-Akademie trat man ein wie in ein Kloster: Man legte seinen Namen ab und wählte einen neuen. Er ließ sich Grigorij nennen. Während er in Moskau die Technik des Sieges studierte, hatten die Anderen in Berlin gesiegt. Man schickte ihn über Wien zurück, mit einem falschen Paß, der auf den Namen Gregor lautete. Er lernte eine dritte Form des Kampfes kennen: den Kampf nach einer Niederlage. In den Kampfpausen dachte er an den goldenen Schild von Tarasovka. Die Genossen im Zentralkomitee waren nicht mit ihm zufrieden. Sie fanden, er sei flau geworden.

DER JUNGE

Er öffnete den Einfüllstutzen des Tanks* und ließ das Treiböl hineinlaufen, zäh und gelb floß es hinein, und der Junge dachte: ich rieche Dieselöl gern. Er stand gebückt in dem niedrigen Raum, in dem sich der Motor befand, und er dachte: der Treibstoff würde reichen zu einer Fahrt über die Ostsee, bis nach Kopenhagen rüber oder Malmö. Aber Knudsen kommt nie auf die Idee, mal 'nen kleinen Ausflug zu machen, keiner von ihnen kommt auf solche Ideen, nur Vater hat es nicht genügt, immer bloß in der kleinen Küstenfischerei herumzuschippern.* Vielleicht hat Vater getrunken, aber er hatte auch Ideen, dachte er, und wahrscheinlich haben sie ihn deswegen nicht leiden können. Ich glaube, nicht einmal Mutter konnte ihn leiden. Wenn mal von ihm die Rede ist, fängt sie zu nölen* an. Er ließ die letzten Tropfen aus der Kanne rinnen und wischte den Einfüllstutzen mit einem Lappen sauber, ehe er ihn zuschraubte. Wenn Knudsen wüßte, wie gut ich mich mit den Seekarten auskenne, dachte er; ich hab' die See zwischen Rerik und Fehmarn und Falster* und östlich bis zum Darß* und rüber nach Moen* im Kopf. Spielend würd' ich den Kutter über die Ostsee bringen. Wohin? Ach, dachte er, irgendwohin.

HELANDER · KNUDSEN

Pfarrer Helander erschrak zuerst, als er den leeren Hafen erblickte. Aber dann sah er den einen Kutter und auf ihm Knudsen. Ein glücklicher Zufall! Es war besser, Knudsen im Freien anzusprechen, als zu ihm ins Haus zu gehen. Es wäre in Rerik sehr aufgefallen, wenn Pfarrer Helander Knudsens Haus betreten hätte. Dagegen ihn, wenn man ihn im Freien traf, mit ein paar Worten festzuhalten, das war ganz in Ordnung.

Knudsen beobachtete ihn aus den Augenwinkeln, das konnte er sehen. Helander näherte sich ihm langsam, auf seinen Stock gestützt; er hinkte heute stärker als sonst. Der Hafenkai war ziemlich breit, mit runden Kopfsteinen gepflastert. Ein Lastauto rumpelte darüber hin, an den niedrigen roten Treppengiebelhäusern entlang; nur das „Wappen von Wismar" war weiß gestrichen, mit grünen Fensterumrandungen und einem goldenen Messingknauf an der Türe. Endlich stand Helander an der Kaimauer, dort, wo die „Pauline" festgemacht hatte. Durch das Takelwerk des kleinen Küstenkutters hindurch konnte der Pfarrer ein Stück der offenen See erkennen, weit draußen, rechts von dem Leuchtturm auf der Lotseninsel, der von hier aus ganz klein aussah. Knudsen saß neben dem Steuerhaus* und putzte Lampen, die kalte Pfeife zwischen den Zähnen. Von drunten, aus dem Motorenraum drang Rumoren, das mußte der Junge sein. Schicken Sie den Jungen weg, Knudsen! sagte der Pfarrer. Ich habe mit Ihnen zu sprechen.

Das war stark, dachte Knudsen. Immer sehr direkt, der Herr Pfarrer. Der Pfaffe. Ein Pfaffe mit einem geraden Maul.*

Der Junge wird gleich fertig sein, sagte er. Er füllt nur noch die Tanks auf.

Warum sind Sie nicht mit den anderen draußen? fragte der Pfarrer, während sie warteten.

Die Galle, antwortete Knudsen. Ein Gallenanfall.

Helander hörte, daß Knudsen log. Knudsen war so gesund wie immer.

Die Galle, sagte er. So, die Galle! Haben Sie sich geärgert, Knudsen, oder haben Sie nur fett gegessen?

Knudsen sah ihn an. Geärgert, erwiderte er.

Der Pfarrer nickte. Von der kleinen Werft im Osten des Hafenbeckens her drang der kreischende Klang eines Hammers. Danach die Stimmen der Glocken aller Kirchen der Stadt. Zwei Schläge. Halb vier.

Knudsen erinnerte sich, daß er das letzte Mal mit dem Pfarrer gesprochen hatte, als die Anderen ans Ruder gekommen waren, vor vier Jahren. Sie waren sich auf der Straße begegnet. Der Pfarrer war stehengeblieben und hatte ihn angesprochen.

Sie roter Hund, hatte er gesagt, jetzt geht's Ihnen an den Kragen!* Er hatte gelacht dabei. Damals lachte man noch bei sowas. Nur Knudsen hatte schon damals nicht mehr gelacht, sondern den Pfarrer angesehen und zu ihm gesagt: Auch Ihnen wird Ihr Verdun-Bein* eines Tages nichts mehr nützen.

Der Pfarrer hatte sofort aufgehört zu lachen. Ehe er weiterging, damals, vor vier Jahren, hatte er gesagt: Wenn Sie mal meine Hilfe brauchen sollten, Knudsen, Sie wissen, wo ich wohne.

Aber es schien so, dachte Knudsen, als ob der Pfarrer jetzt seine Hilfe brauchte.

Nach einer Weile kam der Junge mit den leeren Treibölkannen auf Deck. Er blickte scheu zu Pfarrer Helander hin, bei dem er konfirmiert worden war, und grüßte. Geh nach Hause, sagte Knudsen zu ihm, und mach dein Zeug fertig. Wir fahren um fünf.

Der Junge verdrückte sich.

Wollen Sie nicht auf Deck kommen und sich setzen, fragte Knudsen.

Nein, das wäre zu auffällig, erwiderte Helander.

Aha, dachte Knudsen, offenbar war die Stunde gekommen, in der dem stolzen Pfarrer Helander sein Verdun-Bein nichts mehr nützte. Das Bein, das man ihm bei Verdun abgeschossen hatte. Knudsen, sagte der Pfarrer, Sie werden heute erst in der Nacht fahren. Er setzte hinzu: Ich bitte Sie darum.

Knudsen sah fragend zu dem Pfarrer hoch, der ein wenig über ihm auf dem Kai stand, ein großer schlanker Mann mit einem heftigen, geröteten Gesicht, mit einem schmalen schwarzen Bart über dem Mund, einem schwarzen Bart, in den sich graue Fäden mischten, mit den blitzenden Gläsern einer randlosen Brille vor den Augen, kristallisch blitzend in dem leidenschaftlichen, eine Neigung zum Jähzorn verratenden Gesicht über einem schwarz gekleideten Körper, der sich ein wenig über den Stock krümmte.

Ich muß Sie bitten, für mich nach Skillinge* zu fahren und etwas mitzunehmen, sagte Helander.

Nach Schweden? Knudsen nahm die Pfeife aus dem Mund. Ich soll für Sie etwas nach Schweden bringen?

Ja, sagte Helander. Zum Propst von Skillinge. Er ist mein Freund.

Von der Werft her sang ein Flaschenzug gellend auf.* Vor dem „Wappen von Wismar" standen zwei Frauen mit Einkaufstaschen im Gespräch. Knudsen stellte die Lampe weg, an der er gerade gearbeitet hatte. Er war auf der Hut. Jetzt nicht einmal mehr fragen, dachte er. Wenn ich auch nur frage, bin ich schon drin. Er blickte an dem Pfarrer vorbei, auf den leeren Kai.

Nur eine kleine Figur, hörte er Helander sagen. Eine kleine Holzfigur aus der Kirche.

Knudsen wunderte sich so, daß es ihn zum Sprechen hinriß. Eine kleine Holzfigur? fragte er.

Ja. Nur einen halben Meter groß. Ich soll sie den Anderen abliefern. Sie wollen sie mir aus der Kirche nehmen. Sie muß nach Schweden in Sicherheit gebracht werden. Helander unterbrach sich und fügte hinzu: Ich bezahle natürlich die Fahrt. Und auch, wenn Sie dadurch Verluste beim Fischfang haben, Knudsen. Der Pfaffe, dachte Knudsen. Der verrückte Pfaffe. Ich soll ihm seinen Götzen retten.

Sie können sich darauf verlassen, Herr Pfarrer, daß die Figur bei uns sorgfältig magaziniert* wird, hatte der junge Mann aus Rostock gesagt. Helander geriet in Zorn, wenn er an den Besuch des jungen Herrn Doktor gestern abend dachte. Keiner von den Anderen, sondern ein Geschickter, Wendiger, ein Karrierist,* der sich durchschlängelte, einer, für den es nur Taktik gab und der im übrigen „das Beste wollte."—

Sie wollen den „Klosterschüler"* wohl konservieren, Herr Konservator, hatte Helander höhnisch geantwortet, es ist aber unnötig, ihn einzuwecken, er bleibt auch so frisch.*—Wir wollen ihn schützen, Herr Pfarrer.—Sie wollen ihn einsperren, Herr Doktor.— Er steht nun einmal auf der Liste, und wir haben den Auftrag ... —Auf welcher Liste?—Auf der Liste der Kunstwerke*, die nicht mehr in der Öffentlichkeit gezeigt werden sollen. Und da ist es besser ... —Der „Klosterschüler" ist kein Kunstwerk, Herr Doktor, er ist ein Gebrauchsgegenstand. Er wird gebraucht, verstehen Sie, gebraucht! Und zwar in meiner Kirche.—Aber begreifen Sie doch, hatte der alte junge Mann, der geduldig war wie ein Greis, erklärt, wenn Sie ihn nicht uns geben, holen ihn die Anderen übermorgen früh einfach aus der Kirche heraus. Und was dann mit ihm geschieht?—Vielleicht müßte man ihn vernichten? Vielleicht ist es besser, der „Klosterschüler" stirbt, als daß er—wie sagten Sie vorhin?—ach ja, als daß er magaziniert wird. Glauben Sie an das ewige Leben, Herr Doktor? Auch an das ewige Leben einer Figur, die gestorben ist, weil sie nicht ausgeliefert wurde?—Aber es war hoffnungslos gewesen.—Es wird sehr unangenehme Folgen für Sie haben, Herr Pfarrer, Folgen, vor denen *wir* Sie dann nicht mehr schützen können.—Der junge Mann, der Taktiker, war unfähig, an etwas anderes zu denken als an das, was er „die Folgen" nannte.—Sagen Sie in Rostock, ich würde dafür sorgen, daß der „Klosterschüler" in der Kirche bleibt!—Der junge Mann hatte die Achseln gehoben.

Während der Pfarrer mit Knudsen sprach, in der kalten klaren Luft, die von der See herkam, wurde er sich endgültig darüber klar, daß der „Lesende Klosterschüler", der jetzt noch unberührt, einen halben Meter hoch und aus Holz geschnitzt am Fuß des nordöstlichen Pfeilers der Vierung saß, das innerste Heiligtum seiner Kirche war. Er hatte ihn vor ein paar Jahren von einem Bildhauer erworben, dem kurz darauf die Anderen verboten hatten, sein Handwerk auszuüben.* Weil die Anderen den „Klosterschüler" angreifen, dachte Helander, ist er das große Heiligtum. Den mächtigen Christus auf dem Altar lassen sie in Ruhe, sein kleiner Schüler ist es, der sie stört. Das Mönchlein, das liest. Der ganze Riesenbau der Kirche wird um dieses stillen Mönchleins willen auf die Probe gestellt, dachte Helander. Und: die Kirche, das bin leider nur ich. Was hatte der Amtsbruder von der Nikolai-Kirche gesagt? Diese modernen Dinge gehören sowieso nicht in die Kirche, hatte er abgewehrt. Der „Klosterschüler" ist nicht modern, er ist uralt, hatte Helander eingewendet. Aber es war vergeblich gewesen. Und zu dem von der Marienkirche* war Helander gar nicht erst gegangen; der gehörte zu den Anderen. So ist es gekommen, daß ich einen, der nicht an Gott glaubt, anbetteln muß, den kleinen Mönch für die Kirche zu retten, dachte der Pfarrer. Ich muß den Mönch zum Propst von Skillinge schicken. Oder ihn zerstören. Ausgeliefert darf er nicht werden.

Tut mir leid, sagte Knudsen, das kommt für mich nicht in Frage.

Der Pfarrer schrak aus seinen Gedanken hoch. Was haben Sie gesagt, fragte er.

Daß ich es nicht machen kann, erwiderte Knudsen. Er zog seinen Tabaksbeutel hervor und begann sich umständlich seine Pfeife zu stopfen.

Und warum nicht, fragte Helander. Fürchten Sie sich?

Klar! sagte Knudsen.

Das ist nicht der einzige Grund.

Knudsen zündete sich seine Pfeife an. Er sah dem Pfarrer direkt in die Augen, als er sagte: Glauben Sie, ich riskiere mein Leben für eines Ihrer Götterbilder, Herr Pfarrer?

Es handelt sich um kein Götterbild.

Na, es wird schon irgend so eine heilige Figur sein, sagte Knudsen grob.

Ja, sagte Helander, es ist eine heilige Figur.

Der Spinner,* dachte Knudsen. Heilige Figuren, das gab's gar nicht.

So heilig wie für Sie ein Bild von Lenin, sagte Helander.

Lenin war kein Heiliger, erwiderte Knudsen. Lenin war ein Führer der Revolution.

Und die Revolution? Ist sie für Sie nicht etwas Heiliges, Knudsen?

Hören Sie auf! sagte Knudsen. Ich kann es nicht hören, wenn ein Bürger von der Revolution redet. Sie haben keine Ahnung, wie falsch das klingt.

Ich bin kein Bürger, sagte Helander wütend. Ich bin ein Pfarrer.

Ein Pfarrer für die Bürger, Herr Pfarrer! Und das ist der Grund, warum ich nicht für Sie nach Skillinge fahre.

Es war nicht der ganze Grund, Helander spürte es. Er blickte auf das Stück offene See hinaus, auf das Stück kaltes Blau, in dem ein mennigroter und weißer Fleck unter einer Rauchfahne erschienen war, ein kleiner Dampfer, der Kurs auf Rerik nahm. Knudsen verschanzt sich hinter seinen Sprüchen, dachte der Pfarrer. Es muß noch einen anderen Grund geben, warum er mir meine Bitte abschlägt.

Für die Partei würden Sie also rüberfahren, Knudsen, fragte er.

Knudsen stieß eine Rauchwolke aus seinem Mund. Er blickte über den Kai. Die beiden Frauen waren gerade dabei, auseinanderzugehen. Der Wirt des „Wappens von Wismar" hatte vor einer Weile begonnen, Kästen mit leeren Bierflaschen auf die Straße zu stellen, und Knudsen beobachtete, daß er jedesmal, wenn er herauskam, einen schnellen Blick auf das Gespräch an der Kaimauer warf. Knudsen hatte für so etwas ein Auge.

Wir fallen auf, Herr Pfarrer, sagte er.

Sie tauschten einen Blick des Einvernehmens.

Ich habe Sie gefragt, ob Sie für die Partei rüberfahren würden, sagte Helander. Geben Sie mir noch eine Antwort darauf!

Scheißpartei,* dachte Knudsen. Der Pfarrer sah etwas Merkwürdiges in Knudsens Augen: einen Ausdruck der Qual.

Seit Jahren tue ich nichts mehr für die Partei, brach Knudsen aus. Das ist es doch! Es gibt sie gar nicht mehr, die Partei. Und da verlangen Sie, ich soll etwas für Ihre Kirche tun? Er hieb mit der Faust gegen die Wand des Steuerhauses. Gehen Sie weg, Herr Pfarrer! Lassen Sie mich allein!

Das war es also. Helander begriff plötzlich Knudsens Weigerung. Seinen Haß gegen die Partei, weil sie versagt hatte. Sein schlechtes Gewissen, weil er nun die Partei haßte. Es ist so ähnlich wie mit mir und der Kirche, dachte er.

Er wandte sich ohne einen Gruß um und ging weg. Knudsen sah ihm nach, wie er mühsam den Kai überquerte. Der Kai war noch immer leer, und der Pfarrer ging schwarz und allein, und mühsam sein Verdun-Bein schleppend, über das Pflaster, an den roten Giebelhäusern entlang und bog an der Nikolaigasse um die Ecke.

Dann schlugen die Glocken vier. Herrgott, dachte Knudsen, ich komme zu spät.

DER JUNGE

Ich hab' mein Zeug längst fertig an Bord, dachte der Junge, warum hat Knudsen mich fortgeschickt? Es gäbe noch 'ne Menge zu tun, bis das Boot klar ist. Aber Erwachsene gaben ja nie Erklärungen ab, sie sagten nur „Komm um fünf!" oder „Geh nach Hause!". Er ging die Treene entlang und wunderte sich darüber, daß der Pfarrer mit Schiffer Knudsen gesprochen hatte, aber dann vergaß er es wieder: Erwachsene interessierten ihn nicht, nicht als Einzelpersonen. Höchstens so im allgemeinen.* Ich werde anders sein wie sie, dachte er, wenn ich einmal erwachsen bin. Es muß doch möglich sein, anders zu werden als Knudsen und alle die, die er kannte. Es konnte doch nicht immer so weitergehen, daß man nur noch ein paar Redensarten hatte, wenn man älter wurde, daß man auf keine Ideen mehr kam,* wenn man älter wurde, daß man immer das gleiche Leben in kleinen roten Ziegelhäusern führte und ein wenig langweilige Küstenfischerei betrieb, wenn man älter wurde. Man mußte sich etwas Neues ausdenken, damit man nicht so wurde. Aber um es ausdenken zu können, mußte man erst einmal weg von ihnen.

JUDITH

Sie setzte sich an einen Tisch in der zu dieser Stunde leeren Gaststube und bestellte Tee und ein Wurstbrot. Dann blickte sie zum Fenster hinaus, auf den leeren Hafen. An der Kaimauer sah sie einen Geistlichen stehen, der sich mit einem Fischer unterhielt. Mit dem Fischer des einzigen Kutters, auf dem sich Leben regte.

Der Wirt brachte den Tee und das belegte Brot. Judith zog den Baedeker* aus ihrer Handtasche und tat so, als ob sie darin läse, während sie begann, das Brot zu essen. Übrigens war das eine ihrer Lieblingsgewohnheiten—beim Essen lesen. Zuhause hatte Mama immer ein wenig geschimpft, wenn sie Judith fand: auf dem Bauch liegend, in ein Buch vertieft, die eine Hand den Kopf stützend, in der anderen ein Marmeladebrot. Heute konnte sie nicht lesen. Sie blickte nur auf die Seiten.

Die Kirchen schließen um fünf, sagte der Wirt.

So früh schon? fragte Judith.

Um halb sechs ist es jetzt ja schon dunkel, erwiderte der Wirt.

Ach ja, richtig, sagte Judith. Vielleicht werde ich sie mir erst morgen ansehen. Ich bin ziemlich müde. Ich werde nur noch ein bißchen am Hafen herumlaufen.

Eine, die es mal nicht eilig hat, dachte der Wirt. Solche Mädchen hatten es meistens eilig, zu den Kirchen zu kommen. Die hier schien nicht so eifrig zu sein. Mal eine Ausnahme. Eine hübsche und ziemlich junge Ausnahme übrigens.

Nichts zu sehen heute im Hafen, Fräulein, sagte er.

Ja, warum ist der Hafen eigentlich so leer, fragte Judith. Nicht mal Fischerboote sind da.

Sie sind alle draußen. Wir haben jetzt Dorschsaison. Heute nacht werden die ersten zurückkommen. Morgen mittag können Sie bei mir prima frischen Dorsch essen. Judith spürte seinen Blick. Ein scheußlicher Kerl, dachte sie, so fett und weiß. Ein fetter Dorsch.

Herrlich, sagte sie. Ich esse Seefisch gern. Sie dachte: morgen mittag bin ich weg, wenn es von hier kein Schiff ins Ausland gibt.

Kommen manchmal auch größere Schiffe nach Rerik? fragte sie. Sie versuchte, ihre Stimme so gleichgültig wie möglich zu machen.

Nur noch selten, sagte der Wirt. Nur noch gelegentlich so kleine Pötte.* Es wird nichts getan für Rerik, begann er zu räsonieren.* Die Fahrrinne müßte ausgebaggert werden. Und die Verladeanlagen sind nur noch Klüterkram.* Ja, Rostock! Und Stettin! Da tun sie alles für.* Von den großen Skandinaviern kommt keiner mehr nach Rerik.

Er wurde so wütend, daß er Judith vergaß und mit großem Krach begann, leere Bierkästen auf die Straße zu tragen. Die innere Türe zur Gaststube war eine Schwingtüre, die knarrend vor und zurück schwang, während er die Kästen hinauswuchtete.* Ein Chinese, dachte Judith, ein großer, weißer, fetter Chinese. Nur nicht so leise wie ein Chinese.

Sie sah wieder zum Fenster hinaus. Der Geistliche, der mit dem Fischer gesprochen hatte, kam jetzt über den Platz. Er ging an einem Stock. Judith sah, daß er Schmerzen haben mußte, denn in seiner Haltung war etwas Angestrengtes, so, als müsse er sich beherrschen, um sich nicht völlig über seinen Stock zu krümmen.

Der Wirt kam wieder herein. Er sagte: Sie müssen mir noch Ihren Paß geben. Die Polizei will jetzt immer die Pässe sehen, wenn sie abends das Gästebuch kontrolliert. Judiths Finger schlossen sich um ihre Handtasche.

Ich hab' ihn oben in meinem Koffer, sagte sie. Ich bring' inn nachher herunter.

Vergessen Sie es nicht! sagte der Wirt. Holen Sie ihn lieber gleich!

Aus, dachte Judith. Es hat nicht geklappt. Ich kann den Paß nicht zeigen, sonst bin ich geliefert. Der Chinese läßt nicht mit sich reden. Jetzt muß ich hinaufgehen und dann muß ich runterkommen und sagen, ich müsse gleich wieder abreisen. Ich muß sagen, ich fühlte mich plötzlich krank oder irgend so etwas ganz Dummes. Er wird es mir niemals abnehmen.* Und wenn dann nicht gleich ein Zug geht, komme ich vielleicht gar nicht mehr aus Rerik heraus.

In ihre Panik hinein hörte sie den Wirt sagen: Sie sehen so ausländisch aus, Fräulein. So was wie Sie* kommt selten nach Rerik.

Hatte er schon etwas gemerkt? Auf einmal fühlte Judith, daß sie in der Gaststube eingesperrt war. Rerik war eine Falle. Eine Falle für Seltenes. Ach Mama, dachte sie. Mama war immer zu romantisch gewesen. Sie war auf eine von Mamas romantischen Ideen hereingefallen, als sie nach Rerik gereist war.

Meine Mutter war halb italienisch, sagte sie. Beinahe hätte sie gelacht. Vielleicht ein bißchen hysterisch, aber jedenfalls gelacht. Mama war eine liebe kleine und sehr hamburgische Dame gewesen.

Ach so, deswegen, sagte der Wirt. Sein Lampiongesicht blühte wieder hinter der Theke. Bringen Sie mir nur Ihren Paß, sagte er mit einer Stimme, die so weiß war wie sein Gesicht, sonst muß ich heute nacht klopfen und Sie aus dem Bett holen!

Judith war sehr jung, aber sie begriff plötzlich, für welchen Preis sie es vergessen durfte, dem Wirt ihren Paß zu geben. Abscheulich, dachte sie. Mit einem scheuen Seitenblick streifte sie das Gesicht des Wirts. Es war weiß und fett, aber nicht nur fett, sondern auch felsig. Ein weißer Block, mit einer Gelatine von Fett überzogen. Sie mußte Zeit gewinnen. In diesem Augenblick sah sie den Dampfer.

Ein Schiff, rief sie.

Der Wirt kam näher und sah zum Fenster hinaus. Ein Schwede, sagte er gleichgültig.

Ich will hinausgehen und mir ansehen, wie er anlegt, sagte Judith aufgeregt.

Haben Sie noch nie ein Schiff ankommen sehen? fragte der Wirt. Sie kommen doch aus Hamburg!

Ach, in den kleinen Häfen ist das viel schöner, widersprach Judith. Es gelang ihr, soviel Begeisterung in ihre Stimme zu legen, daß der Wirt nur den Kopf schüttelte. Die kindliche Tour, dachte Judith, ich muß die kindliche Tour schieben.*

Sie fühlte seinen falschen Vaterblick, als sie hinausging. Im Knarren der Schwingtüre schüttelte sie sich.

Die Luft draußen war kalt und klar. Sie sah den Dampfer aus Schweden, der am Eingang des Hafenbeckens angelangt war und von der Spitze der Mole aus zu einem großen Bogen ansetzte, einen müden, kleinen, grauen Dampfer, mit roten Mennigflecken beschmiert, tief im Wasser liegend und keuchend unter seiner Holzlast. Sogar das Deck war mit Stämmen beladen, hellen Bündeln von Bäumen, die gelb in der kalten Sonne leuchteten. Die blaue Flagge mit dem gelben Kreuz* hing schlapp am Heck.

DER JUNGE

*Mutter, sagte der Junge, im Januar werd' ich sechzehn, erlaubst du
mir dann, daß ich nach Hamburg fahre und mir eine Heuer suche, auf
'nem Frachter? Fang nicht wieder damit an, sagte sie, du weißt, das
kommt nicht in Frage, du machst deine Lehrzeit bei Knudsen und dann
wirst du ja zwei Jahre zur Marine gezogen.* Ich will, daß du 'ne
ordentliche Grundlage hast. Herrgott, dachte der Junge, das kann doch
nicht möglich sein, noch zweieinhalb Jahre mit Knudsen und dann
zwei zur Marine, mit der man auch nicht rauskam, das halt ich nie aus.
Aber auf 'nem Frachter, sagte er, krieg' ich doch auch eine gute
Grundlage, bis ich Leichtmatrose werde, und ich krieg' auch noch was
zu sehen. Zu sehen, zu sehen, sagte die Mutter, immer wollt ihr was
zu sehen kriegen, dein Vater wollte auch immer was zu sehen kriegen.
Sie fing zu nölen an.*

Der Junge setzte sich in eine Ecke und begann, vor sich hinzubrüten.*
*Er hatte nicht die kleinste Spur einer Erinnerung an seinen Vater, aber
wenn er die Mutter über ihn reden hörte, wußte er, warum Vater
gestorben war. Er war gestorben, weil er nie etwas zu sehen gekriegt
hatte. Seine sinnlosen, betrunkenen Fahrten auf die offene See waren
Ausbrüche aus einer Welt gewesen, in der er nie, niemals etwas zu
sehen gekriegt hatte.*

61

GREGOR

Auf der Westfront der Georgenkirche lag die späte Nach-
mittagssonne des kalten Himmels. Gregor ging, das Rad
schiebend, im Schatten der Häuser auf der anderen Seite des
Platzes.   Das war keine Kirchenfront, dachte Gregor, das war
die Front einer riesigen uralten Ziegelscheune.   Er vermied es,
in das lehmrote Licht* zu treten, das von der Scheune ausging.
Die Weite des Platzes vor der Kirche und das Licht darauf störte
ihn; nicht das Hauptportal, dachte er, alle Häuser um den Platz
würden einen Mann beobachten, der auf das Hauptportal
zuginge.   Dabei war der Platz keine Bühne. Er war eine Tenne.
Es war schon lange auf ihm kein Korn mehr gedroschen worden.
Feierlich lag er im toten herbstlichen Nachmittagslicht, vor der
geschlossenen roten Wand, der Wand aus rostigen Steinen, der
verrosteten Wand, die nie mehr in zwei großen Flügeln ausein-
anderklappen würde, um die Erntewagen einzulassen.   Ob die
Scheunen, die wir für unsere Ernte* bauen, auch einmal so
verlassen daliegen werden, dachte Gregor.   Als er um die Kirche
herumging, fand er auf der Südseite, in einem toten Winkel, der
höchstens von zwei oder drei Häusern aus eingesehen werden
konnte, ein anderes Portal.   Er lehnte sein Fahrrad gegen eines
der Häuser; auf einem Messingschild, das neben der Türe angebracht war, las er: Pfarramt St. Georg. Gut, dachte er.   Und
dann dachte er: so weit ist es also schon gekommen mit uns, daß
wir unter den Fenstern eines Pfarrhauses aufatmen.   Er ging
hinüber zur Kirche und die paar Stufen zum Portal hinauf: der
eine der beiden Flügel öffnete sich, als er dagegen drückte.

Er befand sich im südlichen Querschiff und er ging rasch zur
Vierung vor, um nachzusehen, ob der Verbindungsmann aus
Rerik schon da war. Die Kirche war vollständig leer. In

diesem Augenblick schlug es vom Turm vier Uhr; die Glocken-
töne füllten die ganze Kirche mit ihrem bronzenen Geschmetter,
aber den letzten schnitt die Stille wie mit einem Messer ab. Ich
bin pünktlich, dachte Gregor, hoffentlich läßt mich der Genosse
nicht warten.

Ein Mann, offenbar der Küster, kam aus der Sakristei und
machte sich am Hochaltar zu schaffen. Gregor begann, in der
Kirche umherzugehen, als wolle er sie besichtigen. Nach einer
Weile verschwand der Küster wieder in der Sakristei. Im
Gegensatz zum Außenbau war das Innere der Kirche weiß gestrichen. Die Oberfläche der weißen Wände und Pfeiler war nicht
glatt, sondern bewegt und rauh, da und dort vom Alter grau
oder gelb geworden, besonders dort, wo sich Risse zeigten.
Das Weiß ist lebendig, dachte Gregor, aber für wen lebt es? Für
die Leere. Für die Einsamkeit. Draußen ist die Drohung, dachte
er, dann kommt die rote Scheunenwand, dann kommt das
Weiß und was kommt dann? Die Leere. Das Nichts. Kein
Heiligtum. Diese Kirche ist zwar ein guter Treff, aber sie ist
kein Heiligtum, das Schutz gewährt. Mach dir nichts vor, sagte
Gregor zu sich, nur weil du weißt, daß die Kirche nicht den
Anderen gehört,—du kannst hier genau so verhaftet werden wie
überall. Die Kirche war ein wunderbarer weißer, lebendiger
Mantel. Es war seltsam, daß der Mantel ihn wärmte,—ja, sehr
seltsam war das, und Gregor nahm sich vor, darüber nachzudenken, wenn er einmal Zeit haben würde, nach der Flucht vielleicht,
nach der Flucht von den Fahnen,*—aber daß die Kirche mehr
wäre als ein Mantel, darüber machte sich Gregor keine Illusionen.
Sie konnte vielleicht vor der Kälte schützen, aber nicht vor dem
Tod. In einer Kapelle im südlichen Seitenschiff hing eine ver-
witterte goldene Fahne. Unter ihr kniete ein Mann und betete.
Der Mann hatte das übliche wehrhafte und fromme Gesicht:
eine strenge spitze Nase, einen gekräuselten Vollbart, tote Augen.
Aber der strenge Mann, der graue Marmormann, der ein König

aus Schweden* war, würde sich niemals erheben, um mit seinem Schwert Gregor zur Seite zu stehen. Es gab keine Könige aus Schweden mehr, die über die See fuhren, um die Freiheit des Glaubens zu schützen; oder wenn es sie gab, so kamen sie zu spät. Und das Gold der Fahne über dem König war nicht das Gold des Schildes von Tarasovka: es war fast schwarz geworden und würde sich in Staub auflösen, wenn man es berührte.

Gregor hatte Angst. Der Genosse aus Rerik ist immer noch nicht da, dachte er. Entweder ist er unzuverlässig, oder es ist etwas geschehen. Gregor hatte immer Angst, wenn er sich an einem Treffpunkt befand. Auf den Fahrten von einem Treff zum anderen hatte er auch Angst, aber nicht so viel, wie am Treffpunkt selbst. Am Treffpunkt selbst gab es immer einen Moment, in dem er am liebsten davongelaufen wäre.

Er ging wieder zur Vierung vor. Ich gebe ihm noch fünf Minuten Zeit, dachte er, dann gehe ich. Er ertappte sich dabei, daß er dachte: am besten wäre es, wenn er gar nicht käme. Dann hätte ich meinen letzten Auftrag schon hinter mir. Schluß, dachte er, es muß Schluß sein. Ich spiele nicht mehr mit. Es war sein glücklichster und sein endgültiger Gedanke: ich steige aus.* Er empfand keine Gewissensbisse dabei. Ich habe genug für die Partei getan, dachte er. Ich habe mir noch diese letzte Reise als Prüfung auferlegt. Die Reise ist beendet. Ich kann gehen. Ich gehe natürlich, weil ich Angst habe, dachte er unerbittlich. Aber ich gehe auch, weil ich anders leben will. Ich will nicht Angst haben, weil ich Aufträge ausführen muß, an die ich ... Er fügte nicht hinzu: nicht mehr glaube. Er dachte: wenn es überhaupt noch Aufträge gibt, dann sind die Aufträge der Partei die einzigen, an die zu glauben sich noch lohnt. Wie aber, wenn es eine Welt ganz ohne Aufträge geben sollte? Eine ungeheuere Ahnung stieg in ihm auf: konnte man ohne einen Auftrag leben?

Von der Decke des südlichen Querschiffs, durch das Gregor

hereingekommen war, hing ein Schiffsmodell, eine große, braun
und weiß gestrichene Dreimastbark. Gregor betrachtete sie, an
einen Pfeiler der Vierung gelehnt. Er verstand nichts von
Schiffen, aber er stellte sich vor, daß mit einem solchen Schiff
jener König über das Meer gekommen sein müsse. Dunkel und
mit Träumen beladen hing die Bark unter dem weißen, in der
Dämmerung immer grauer werdenden Gewölbe, sie hatte die
Segel gerefft, aber Gregor stellte sich vor, daß sie im Hafen von
Rerik lag, daß sie auf ihn wartete, um sogleich, wenn er an Bord
gegangen war, ihre Segel zu entfalten, Tücher der Freiheit, in
deren Geknatter sie auf die hohe See hinausfuhr, bis zu jenem
Punkt, an dem ihre Masten, ihre von Segeln klirrenden Masten
endgültig höher waren als die Türme von Rerik, die kleinen,
winzigen und endlich in der Ferne der Knechtschaft versinkenden Türme* von Rerik.

Der Genosse aus Rerik blieb immer noch aus. Wenn er nicht
kam, so gab es keine Genossen in Rerik mehr. Dann war Rerik
für die Partei nur noch ein aufgegebenes und vergessenes
Außenwerk,* zurückgefallen in das hallende Schweigen seiner
Plätze und Türme. Konnte man von hier fliehen? War der tote
Punkt* der Ort, von dem aus man sein Leben ändern konnte?
Auf einmal wünschte sich Gregor brennend, der Mann aus Rerik
möge doch kommen. Selbst an einem toten Punkt mußte es
noch einen Lebendigen geben, der half. Er würde nicht helfen
wollen. Gregor würde vorsichtig vorgehen müssen. Die
Partei in Rerik würde einen Instrukteur des Zentralkomitees nicht
unter ihren Augen desertieren lassen. Dann wurde er sich der
Anwesenheit der Figur bewußt. Sie saß, klein, auf einem
niedrigen Sockel aus Metall, zu Füßen des Pfeilers schräg gegenüber. Sie war aus Holz geschnitzt, das nicht hell und nicht
dunkel war, sondern einfach braun. Gregor näherte sich ihr.
Die Figur stellte einen jungen Mann dar, der in einem Buch las,
das auf seinen Knien lag. Der junge Mann trug ein langes

Gewand, ein Mönchsgewand, nein, ein Gewand, das noch einfacher war als das eines Mönchs: einen langen Kittel. Unter dem Kittel kamen seine nackten Füße hervor. Seine beiden Arme hingen herab. Auch seine Haare hingen herab, glatt, zu beiden Seiten der Stirne, die Ohren und die Schläfen verdeckend. Seine Augenbrauen mündeten wie Blätter in den Stamm der geraden Nase, die einen tiefen Schatten auf seine rechte Gesichtshälfte warf. Sein Mund war nicht zu klein und nicht zu groß; er war genau richtig, und ohne Anstrengung geschlossen. Auch die Augen schienen auf den ersten Blick geschlossen, aber sie waren es nicht, der junge Mann schlief nicht, er hatte nur die Angewohnheit, die Augendeckel* fast zu schließen, während er las. Die Spalten, die seine sehr großen Augendeckel gerade noch freiließen, waren geschwungen,* zwei großzügige und ernste Kurven, in den Augenwinkeln so unmerklich gekrümmt, daß auch Witz in ihnen nistete. Sein Gesicht war ein fast reines Oval, in ein Kinn ausmündend, das fein, aber nicht schwach, sondern gelassen den Mund trug. Sein Körper unter dem Kittel mußte mager sein, mager und zart; er durfte offenbar den jungen Mann beim Lesen nicht stören.

Das sind ja wir, dachte Gregor. Er beugte sich herab zu dem jungen Mann, der, kaum einen halben Meter groß, auf seinem niedrigen Sockel saß, und sah ihm ins Gesicht. Genau so sind wir in der Lenin-Akademie gesessen* und genau so haben wir gelesen, gelesen, gelesen. Vielleicht haben wir die Arme dabei aufgestützt, vielleicht haben wir papirossi* dabei geraucht,—obwohl es nicht erwünscht war—,vielleicht haben wir manchmal aufgeblickt,—aber wir haben den Glockenturm Iwan Weliki vor dem Fenster nicht gesehen, ich schwöre es, dachte Gregor, so versunken waren wir. So versunken wie er. Er ist wir. Wie alt ist er? So alt wie wir waren, als wir genau so lasen. Achtzehn, höchstens achtzehn. Gregor bückte sich tiefer, um dem jungen Mann gänzlich ins Gesicht sehen zu können. Er trägt unser

Gesicht, dachte er, das Gesicht unserer Jugend, das Gesicht der Jugend, die ausgewählt ist, die Texte zu lesen, auf die es ankommt. Aber dann bemerkte er auf einmal, daß der junge Mann ganz anders war. Er war gar nicht versunken. Er war nicht einmal an die Lektüre hingegeben. Was tat er eigentlich? Er las ganz einfach. Er las aufmerksam. Er las genau. Er las sogar in höchster Konzentration. Aber er las kritisch. Er sah aus, als wisse er in jedem Moment, was er da lese. Seine Arme hingen herab, aber sie schienen bereit, jeden Augenblick einen Finger auf den Text zu führen, der zeigen würde: das ist nicht wahr. Das glaube ich nicht. Er ist anders, dachte Gregor, er ist ganz anders. Er ist leichter, als wir waren, vogelgleicher.* Er sieht aus wie einer, der jederzeit das Buch zuklappen kann und aufstehen, um etwas ganz anderes zu tun.

Liest er denn nicht einen seiner heiligen Texte, dachte Gregor. Ist er denn nicht wie ein junger Mönch? Kann man das: ein junger Mönch sein und sich nicht von den Texten überwältigen lassen? Die Kutte nehmen und trotzdem frei bleiben? Nach den Regeln leben, ohne den Geist zu binden?

Gregor richtete sich auf. Er war verwirrt. Er beobachtete den jungen Mann, der weiter las, als sei nichts geschehen. Es war aber etwas geschehen, dachte Gregor. Ich habe einen gesehen, der ohne Auftrag lebt. Einen, der lesen kann und dennoch aufstehen und fortgehen. Er blickte mit einer Art von Neid auf die Figur.

In diesem Augenblick hörte er das Geräusch der Portaltüre und Schritte. Er wendete sich um. Er sah einen Mann, der seine Schiffermütze erst abnahm, als er bereits ein paar Schritte in die Kirche herein getan hatte.

DER JUNGE

Er aß die Schüssel voll Bratkartoffeln, die seine Mutter ihm hinge-schoben hatte, und dann schlug er sich noch den Grießpudding rein.* Eine gute Grundlage, dachte er, während er sie nölen hörte, sie will, daß ich eine gute Grundlage habe.   Das, was ich bei Knudsen lernen kann, hab' ich längst gelernt.   Ich kann ein Boot führen und mit den Netzen umgehen, und mit dem Wetter und der See kenn' ich mich auch aus. Eine gute Grundlage, sagen die Erwachsenen, aber sie meinen nur, man soll alles genau so langsam kapieren wie sie selbst, das blöde Volk. Bin selber blöd, dachte er, weil mir der dritte Grund nicht einfällt, der letzte Grund, warum ich weg will.   Er sah auf das Bild seines Vaters, auf die Fotografie, die an der Wand hing.   Vater stand am Kai von Rerik, neben seinem Boot, das Boot war bekränzt und Vater hatte seinen Sonntagsanzug an, weil Kaisers Geburtstag* war, wie die Mutter erzählt hatte.   Der Junge konnte das Bild nicht leiden, weil Vater darauf aussah wie jeder andere Fischer von Rerik, wie irgendein Fischer im Sonntagsanzug.   Und natürlich wußte der Mann auf dem Bild keine Antwort auf die Frage nach dem letzten Grund.

KNUDSEN · GREGOR

Das ist er, dachte Knudsen. Es war kein Erkennungszeichen vereinbart worden. Brägevoldt hatte ihn nur beschrieben: grauer Anzug, jung, glatte, schwarze Haare, ein bißchen unter mittelgroß, Fahrradklammern* an den Hosen. Einer vom Jugendverband, dachte Knudsen, ich kenne die Typen. Sind keine Arbeiter, die Burschen, aber auch keine richtigen Intellektuellen. Sind einfach nur harte, trainierte Burschen. Ich wollte, die Partei schickte mal einen richtigen Arbeiter.

'tschuldige, sagte er zu Gregor, ich war im letzten Moment aufgehalten.

Macht nichts, sagte Gregor. Ich hab' mich inzwischen ganz gut unterhalten.

Hier in dem Gebetsschuppen?* fragte Knudsen.

Ja, erwiderte Gregor, mit dem da! Er deutete auf den jungen Mann, der las.

War ja offenbar ein komischer Vogel, dachte Knudsen, dieser Instrukteur vom ZK. Er blickte gleichgültig auf die Holzplastik. Ob das die Figur war, die der Pfarrer meinte? Ausgeschlossen; der Pfarrer hatte etwas von einer heiligen Figur gesagt. An der da war gar nichts Heiliges.

Du bist vom Jugendverband, Genosse, fragte er Gregor. Gregor nickte. Er ist eigentlich schon etwas zu alt für den Jugendverband, dachte Knudsen, einer von denen, die vom Jugendverband nicht loskommen. Für solche war die Partei das Alte.*

Ein Treff in einer Kirche ist eine gute Idee, sagte Gregor. Darauf sind sie noch nirgends gekommen.* Er wollte etwas Freundliches sagen, denn er spürte Knudsens beobachtende Härte.

Hast du mir viel zu erzählen, fragte Knudsen. Oder können

wir es gleich hier abmachen? Ich will schnell wieder weg, dachte er.
Ich hätte überhaupt nicht hierher kommen sollen. Was hat es
für einen Zweck, alles aufs Spiel zu setzen, nur um sich mit
diesem jungen Kerl zu unterhalten. Ich könnte jetzt auf See
sein. Er hörte auf einmal das Tuckern seines Bootsmotors* und
das zischende Geräusch des Wassers am Bug.

Die Kirche wird noch eine halbe Stunde auf sein, sagte Gregor.
Das reicht.

Sie ließen sich in eine Kirchenbank nieder, in dem Teil der
Kirche, wo es am dunkelsten war, und Gregor setzte Knudsen
das neue Fünfergruppensystem auseinander. Überall wird die
Partei in Gruppen zu fünf Mitgliedern aufgeteilt, die nichts
voneinander wissen, erklärte er. Die Gruppen sind vollkommen
selbständig und unterstehen direkt dem ZK. Nur das ZK kennt
die Namen der Gruppenleiter. Auf diese Weise können die
Anderen nicht mehr die ganzen Parteiapparate in einer Stadt
lahmlegen, wenn sie ein paar leitende Genossen verhaften.

Das ist nur scheinbar eine Aufteilung, sagte Knudsen. In
Wirklichkeit ist es eine Zentralisierung. Wenn das ZK
hochgeht, ist die ganze Partei im Eimer.* Er dachte: die Partei
ist sowieso im Eimer.

Das ZK geht nicht hoch, sagte Gregor. Er wußte, daß er mit
diesem Satz Knudsen nicht überzeugte. Die Genossen waren
überall darüber hinaus, sich von einfachen Behauptungen
überzeugen zu lassen.

Aber Knudsen ging auf die Behauptungen gar nicht ein.
Bloß keine langen Auseinandersetzungen, dachte er. Übrigens
fühlte er sich nicht wohl in der Kirche. Wenn mich einer
gesehen hat, wie ich in die Kirche ging, dann redet bald die ganze
Stadt darüber, dachte er. Der Knudsen, der rote Hund, war in
der Kirche, werden sie sagen. Das wird die Anderen aufmerksam machen. Da stimmt irgend etwas nicht,* werden sie sagen,
der Knudsen wird wieder aktiv.*

Er wollte die Pfeife aus seiner Joppe hervorkramen,* aber dann besann er sich, wo er war und ließ sie in der Tasche. Hier in Rerik wird es keine Fünfergruppe geben, sagte er zu Gregor. Noch nicht einmal eine Zweiergruppe.

Du meinst, daß du hier allein bist?

Knudsen nickte. Er grinste düster, ohne Gregor anzublicken. ·

Gregor blickte auf Knudsens Profil und dann wieder geradeaus, in die Richtung des Hochaltars. Da vorne saß der junge Mann und las immer noch ungeruhrt in seinem Buch. Vor einiger Zeit hätte Gregor noch von Aktivierung der Parteiarbeit geredet. Jetzt sagte er nur: was sollen wir da machen? Kannst du mir wenigstens eine Deckadresse mitgeben, an die wir dir Material schicken können?

Knudsen schüttelte den Kopf. Ihr solltet uns in Ruhe lassen, sagte er. Können wir nicht einfach Genossen bleiben, ohne etwas tun zu müssen?

Wieder blickte Gregor auf Knudsens Gesicht, aber zum erstenmal nun wirklich aufmerksam. Im Dämmerlicht der Kirche, in der die Schatten zunahmen, war es nicht mehr sehr genau zu erkennen, aber Gregor konnte sehen, daß es hart und flächig war, die Nase stach nicht besonders hervor, es war ein braunes, bartstoppeliges, wettergegerbtes Fischergesicht* unter schon grau gewordenen Haaren, nichts leuchtete in diesem einfachen Gesicht, nicht einmal die Augen; sie waren klein und scharf und blau, aber sie leuchteten nicht, sie phosphoreszierten nur, kleine blaue phosphoreszierende Kugeln, in die harte Fläche des Gesichts eingelassen. Der letzte Genosse von Rerik sieht aus, als könne er in der Nacht sehen, dachte Gregor.

Die Anderen sind zu stark, sagte Knudsen. Ist doch alles Murks,* was wir gegen sie machen. Steht doch nicht dafür.* Sag doch selbst—wenn sie jetzt hereinkämen und uns schnappen würden: hätte es dafürgestanden?

Wenn wir nichts mehr tun, gibt es uns auch nicht mehr, sagte

Gregor. Er wußte, daß nicht sehr viel Energie hinter seinen
Worten saß.

Knudsen deutete mit dem Finger auf seine Stirne. Da drin
müssen wir noch da sein, sagte er. Das ist viel wichtiger als ein
paar Flugblätter verteilen und Parolen an die Wände schmieren.
Der Mann hatte ganz recht, dachte Gregor. Natürlich
waren seine Überlegungen auch von der Furcht bestimmt,
aber selbst wenn man ein gewisses Maß von Furcht einkalkulierte,
stimmten sie. Man mußte übrigbleiben, darauf kam es an.
Aber er durfte ihm nicht zustimmen, das wäre gegen die Linie
der Partei gewesen. Es blieb nicht mehr viel zu sagen. Sein
Auftrag war ausgeführt. Er konnte ins Zentralkomitee zurückkehren und melden, das Außenwerk Rerik sei gefallen. Denn
als gefallen würden sie es betrachten, wenn er berichten würde,
daß es in Rerik nur noch einen einzigen Genossen gab und daß
dieser Einzige der Meinung war, es genüge, an die Partei zu
glauben, ohne etwas für sie zu tun. Sie würden nicht bereit sein,
diese These auch nur einen Augenblick lang zu diskutieren. Es
ist mir wursch*, dachte er, worüber sie reden oder nicht reden.
Ich werde sie nicht mehr wiedersehen.

Hör mal, sagte er zu Knudsen, aber ihr hier habt doch Verbindungen mit dem Ausland, was? Damit wenigstens müßte die
Partei rechnen können. Wir müssen jede Möglichkeit, die es
gibt, für Kurierdienste* ausnützen.

Was will er damit, dachte Knudsen, sofort mißtrauisch. Ist
die Partei jetzt schon darauf angewiesen, sich für ihre Auslands-
verbindungen an uns zu wenden? Die Partei muß ziemlich fertig
sein, wenn sie dazu uns kleine Fischer braucht.

Er beschloß, sich dumm zu stellen. Es kommen nur noch
wenige fremde Pötte rein, sagte er. Rerik ist eigentlich nur
noch ein Binnenhafen. Und wenn mal ein Schwede oder Däne
kommt—meinst du, ich kann dann hingehen und mich erkun-
digen, ob einer von der Partei drauf ist? Wenn ich so einem

Steamer nur in die Nähe kommen würde, wäre ich am nächsten Tag in Oranienburg!* Dieses verdammte Nest, fügte er erbittert hinzu. Du weißt nicht, wie die Arbeit in so einem Nest ist, Genosse!

Es klang eine Spur zu eifrig.* Du hast einfach die Schnauze voll,* mein Lieber, dachte Gregor. Du willst dich in deinen Winkel verkriechen und an die Partei glauben. Und ich, was will ich? Ich will aus meinem Winkel raus und irgendwohin, wo man noch nachdenken kann, darüber nachdenken, ob es noch einen Sinn hat, an die Partei zu glauben.

Lesen, dachte er. Noch einmal lesen. So lesen, wie der da vorne. Der war übrigens kaum noch zu erkennen. Die weiße Kirche war jetzt voll mit grauen Schatten. Es war Zeit, sie zu verlassen.

Und du selbst, fragte Gregor. Könntest du oder ein anderer einen Kurier nach drüben bringen?

Das ist schon der zweite heute, dachte Knudsen, der so etwas von mir verlangt. Zuerst sollte ich einen Heiligen rüberbringen, und jetzt einen Parteikurier. Plötzlich besann er sich auf das, was der Pfarrer ihn gefragt hatte. Für die Partei würden Sie also rüberfahren, Knudsen? hatte der Pfarrer gefragt. Und er, was hatte er geantwortet? Es gibt sie gar nicht mehr, die Partei. Und da verlangen Sie, ich soll etwas für die Kirche tun?

Du verstehst nichts von der Seefahrt, Genosse, sagte er zu Gregor. Unsere Kutter sind nur für die Küstenfischerei. Wir können damit nicht auf die offene See hinaus.

Warum sage ich das, fragte er sich. Ich könnte jetzt doch etwas für die Partei tun. Ich habe den Pfarrer angelogen. Ich hätte ihm antworten müssen: für die Partei tue ich auch nichts mehr.

Gregor horchte ein paar Sekunden in die tiefe Stille der Kirche hinein. Er beschloß auf einmal, alles auf eine Karte zu setzen. Ich verstehe, daß du nicht willst, sagte er. Als Knudsen abwehrend die Hand hob, ließ er ihn nicht zu Wort kommen. Ich verstehe dich wirklich, glaub mir, sagte er. Aber ich muß hinüber.

Knudsen · bemerkte sogleich den ganz anderen Ton von Gregors Stimme.

Als Kurier? fragte er.

Nein, sagte Gregor.

Du willst also kneifen?

Du kannst es auch so nennen, antwortete Gregor. Wie nennst du das, was du tust?

Aber ich bin kein Mann vom ZK, sagte Knudsen.

Es ist kein Unterschied zwischen uns, sagte Gregor. Zwischen einem Mann vom ZK und einem einfachen Genossen ist ein Unterschied. Aber zwischen zweien, die kneifen wollen,* ist keiner.

Er spürte, wie in dem anderen eine Welle von Wut hochstieg, und ließ sie gleichmütig verebben. Das war immer so, wenn man völlig kaltblütig aussprach, was man dachte, falls man richtig dachte.

Du hättest deinen Dreck für dich behalten können, sagte Knudsen. Er knurrte es.

Gregor gab keine Antwort darauf. Wie ist es, fragte er, wollen wir nicht zusammen versuchen, nach drüben zu kommen? Du solltest auch dort bleiben! Hier gehst du ja doch früher oder später hoch.*

Ich habe es mir hundertmal überlegt, dachte Knudsen. Ich kann nicht. Ich kann es Bertha nicht antun. Niemand würde sich um Bertha kümmern, wenn ich fort wäre. Ich kann sie nicht im Stich lassen.

Er schüttelte den Kopf. Er wollte etwas sagen, aber in diesem Augenblick schmetterten zwei Glockenschläge in den Raum, und der Küster kam, als sei er eine Figur in einem Uhrwerk, zusammen mit dem Geschmetter aus der Sakristei. Er blieb vor dem Altar stehen und rief in die plötzliche Stille hinein: Die Kirche wird geschlossen. Dann erkannte er Knudsen.

Donnerwetter, sagte er, Sie, Herr Knudsen? Ein seltener Gast!

Nur ein Freund, sagte Knudsen nach einer Pause, ein Freund von auswärts. Er wollte durchaus die Kirche sehen.

Elender Mist,* dachte er, in das spöttische Lächeln des Küsters hinein, das hat so kommen müssen. Jetzt geht die Geschichte rund in Rerik. Und warum bin ich überhaupt hergekommen? Um einem Genossen vom Zentralkomittee zuzuhören, der mir am Schluß erklärt, daß er türmen will. Mein Boot, dachte er, warum bin ich nicht auf See? Auf einmal fühlte er, daß der Teer- und Ölgeruch seines Bootes das einzig Wirkliche in einer Welt voll von gespenstischen Ängsten war, das Einzige, woran er sich halten konnte. Er suchte noch nach ein paar Worten, als er sah, daß Pfarrer Helander die Kirche betrat.

Helander kam auf die Gruppe zu. Sie können gehen, Paulsen, sagte er zu dem Küster. Geben Sie mir die Schlüssel, ich schließe heute selbst die Kirche ab. Ich habe noch mit Herrn Knudsen zu reden.

DER JUNGE

Er ging wieder zum Hafen runter. Ich krieg' keine Heuer in Hamburg oder sonstwo, wenn ich nicht eine Genehmigung von meiner Mutter mitbringe, dachte er. Mit sechzehn* krieg' ich gar nichts ohne ein Papier von meiner Mutter. Ins Ausland kann ich auch nicht, weil ich keinen Paß kriege, wenn Mutter nicht ihre Einwilligung gibt. Ob man ohne Paß ins Ausland kommt? Aber die schicken einen zurück, einen Jugendlichen schicken sie bestimmt zurück. Überall brauchte man Papiere, und die Papiere bekam man nicht ohne die Einwilligung der Erwachsenen. Das hatten die Erwachsenen schon prima eingerichtet,* dachte der Junge. Huckleberry Finn, der brauchte keine Papiere. Aber das war damals, und Amerika war so groß, daß man nicht auf die Idee kam, man müsse ins Ausland, wenn man was sehen wollte.

Amerika war auch nicht so langweilig—Grund eins, warum man weg mußte—wie Rerik. Huck Finn, der floh nicht, weil es irgendwo langweilig war. Er floh, weil er verfolgt wurde. In Rerik, dachte der Junge, gab es keine Verfolgungsjagden. In Rerik war überhaupt nichts los. Man mußte irgendwohin, wo etwas los war. Nach Amerika zum Beispiel.

HELANDER · KNUDSEN · GREGOR

Himmel, Arsch und Zwirn,* sagte Knudsen zu Gregor, als der Küster gegangen war, jetzt weißt du auch noch meinen Namen. Bitter fügte er hinzu: Fischer Heinrich Knudsen, wenn du es ganz genau wissen willst. Mein Kutter heißt „Pauline". „Pauline" oder „Rerik 17". Präg es dir ein!

Ich werde keinen Gebrauch davon machen, sagte Gregor.

Ich habe Sie vorhin in die Kirche hineingehen sehen, Knudsen, sagte Helander, und als es einige Zeit dauerte und Sie nicht herauskamen, da entschloß ich mich, nachzusehen.

Er hatte, nachdem er vom Hafen zurückgekommen war, eine Weile auf dem Lehnstuhl in seinem Studierzimmer gesessen, ganz betäubt von den Schmerzen in seinem Beinstumpf. Herr, hatte er gebetet, laß die Operationswunde nicht aufbrechen, denn sonst bin ich geliefert. Ich habe zu viel Zucker im Blut,* als daß die Wunde dann noch heilen könnte. Aber während seines ganzen Gebets hatte er gewußt, daß der Herr ihm nicht helfen würde. Meine Wunde wird aufbrechen, hatte er gedacht. Er hatte die Bänder der Prothese etwas gelockert und nachgesehen, die Ränder der Operationsnarbe waren geschwollen und entzündet. Sie haben etwas Zucker, hatte der Stabsarzt in jenem Feldlazarett bei Verdun zu ihm gesagt, nachdem er ihm das Bein abgeschnitten hatte. Er hatte bedenklich den Kopf geschüttelt. Nach ein paar gefährlichen Wochen war die Wunde doch verheilt. Aber Pfarrer Helander hatte immer gewußt, daß sie sich eines Tages wieder öffnen würde. Wenn sie sich öffnen würde, gab es keine Hilfe mehr. Klinik, würde Doktor Frerking sagen, Klinik, das Bein muß stillgelegt werden, und Insulin.* Aber Helander wußte, daß Klinik und Insulin das Bein nicht mehr still machen würden, wenn es sich noch einmal geöffnet haben

77

würde, geöffnet zu einem Schrei aus bloßgelegten roten Geweben
und schwarzem Brand.* Natürlich mußte er trotzdem morgen
zu Doktor Frerking gehen. Vielleicht handelte es sich nur um
eine einfache Entzündung der Wundränder. Aber zuvor mußte
noch diese Sache mit der Figur erledigt werden. Er hatte die
Prothese wieder festgeschnallt und war ans Fenster gehumpelt.
Die Wand. Die große rote Wand ohne Inschrift. Und dann
hatte er Knudsen gesehen, Knudsen, wie er schnell am südlichen
Langhaus* entlang ging und, ohne sich umzusehen, in der Kirche
verschwand.

Natürlich habe ich nicht angenommen, ich würde Sie im
Gebet versunken antreffen, sagte Helander. Aber das ist doch
die Höhe! Er bellte plötzlich los: Das Gotteshaus ist kein Ort, in
dem ihr die Geschäfte eurer Partei abwickeln könnt!

„Geschäfte" ist ein sehr schlechtes Wort für das, was wir
abwickeln, sagte Gregor ruhig. Er setzte hinzu: Wir sind keine
Wechsler und Händler,* Herr Pfarrer, uns brauchen Sie nicht aus
dem Tempel zu verjagen.

Sie, wer sind Sie denn? Der Pfarrer sah Gregor an.

Er sah nicht mehr, als was Knudsen gesehen hatte: einen jungen
Mann, eher klein als groß, glatte schwarze Haare über einem
mageren Gesicht, einen grauen Anzug, Fahrradklammern an den
Hosen. Sie haben wenigstens noch junge Männer, dachte er.

Ich habe keinen Namen. Aber Sie können mich Gregor
nennen.

So, du bist Gregor! sagte Knudsen. Ich habe von dir gehört.
Von dir hätte ich nicht gedacht . . .

Gregor schnitt ihm das Wort ab. Du denkst überhaupt zu
wenig, sagte er.

Sie sind einer von denen, die sich an ein Stück Bibel* erinnern,
wenn sie es brauchen können, sagte Helander.

Ja, sagte Gregor. Einer von denen bin ich. Aber es ist nicht
meine Schuld. Warum bringen Sie uns die Bibel bei?

Hören Sie nicht auf ihn, Herr Pfarrer, sagte Knudsen. Er dreht Ihnen das Wort im Mund herum.

Sie standen die ganze Zeit, während sie miteinander sprachen, neben der Figur. Eigentlich sind wir zu viert, dachte Gregor. Der Bursche, der dort sitzt und liest, dreht sicherlich auch das Wort im Mund herum. Er dreht es herum und befühlt es von der anderen Seite.

Sie sollten eigentlich stolz darauf sein, daß wir Ihre Kirche benützen, um uns zu treffen, Herr Pfarrer, sagte Gregor.

Die Kirche ist kein Treffpunkt für Menschen, die nicht an Gott glauben.

Gott oder nicht, sagte Gregor, es kommt nur darauf an, ob es Menschen sind, die sich treffen. Es wird bald keine Plätze mehr geben, an denen sich Menschen treffen können. Es gibt fast nur noch Plätze für die Anderen.

Sie argumentieren nicht schlecht, sagte der Pfarrer.

Ja, sagte Knudsen, reden—das kann er. Das ist seine Stärke.

Es war inzwischen so dunkel geworden in der Kirche, daß das Weiß ihrer Wände sich in ein vollkommen mattes Grau verwandelt hatte. Vielleicht hätte dieses Grau begonnen, zu leuchten, wenn es draußen schon Nacht geworden wäre, aber durch die hohen Fenster der Querschiffe konnte man sehen, daß draußen noch Frühabendlicht hing, Dämmerungshelle.

In dem diffusen Licht fragte der Pfarrer: Wie ist es, Knudsen, haben Sie es sich noch einmal überlegt? Deswegen bin ich ihm nachgegangen, dachte Helander, nicht aus Neugier.

Nein, erwiderte Knudsen, ich habe es mir nicht noch einmal überlegt.

Schade, sagte Helander. Ich dachte, es ließe sich vielleicht ein Geschäft mit Ihnen machen. Ich stelle meine Kirche Eurer Partei zur Verfügung, und Ihr bringt mir dafür die Figur weg!

Er hat die Kirche nicht der Partei zur Verfügung gestellt, dachte Knudsen. Er hat sie zwei Deserteuren zur Verfügung gestellt.

Sie riskieren gar nichts, Herr Pfarrer, wenn Sie uns in Ihre Kirche kommen lassen, sagte er. Aber ich riskiere mein Leben, wenn ich versuche, Ihre Figur nach Schweden zu bringen.

Ich setze auch mein Leben aufs Spiel, dachte der Pfarrer, wenn ich die Figur wegbringen lasse. Aber er sprach es nicht aus. Es war ein Argument, das nichts genutzt hätte.

Was wird hier gespielt, fragte Gregor. Von was für einer Figur sprichst du, Knudsen?

Weiß nicht, antwortete Knudsen, er will, ich soll irgend so einen Götzen nach Schweden bringen.

Halten Sie den Mund, Knudsen, sagte der Pfarrer. Ich verbiete Ihnen, hier und in meiner Anwesenheit von Götzen zu sprechen!

Es war nicht so gemeint, sagte Knudsen.

Es war so gemeint. Der Pfarrer hielt unruhig inne. Ist Gott denn ein Götze, dachte er, nur weil er sich nicht mehr um uns zu kümmern scheint? Weil er keine Gebete mehr hört? Keine Gebete gegen die aufbrechende Wunde eines Beinstumpfs, keine Gebete um Hilfe gegen die Anderen?

Es handelt sich um diese Figur hier, sagte er zu Gregor. Sie darf nicht mehr gezeigt werden. Sie wollen sie mir morgen früh aus der Kirche holen.

Gregor folgte der deutenden Bewegung Helanders. Natürlich, dachte er, nur um diese Figur konnte es sich handeln. Gregor konnte sehr gut verstehen, warum die Anderen den jungen Mann nicht mehr sitzen und lesen lassen wollten. Einer, der so las wie der da, war eine Gefahr.

Auch Knudsen blickte auf die Figur. Das Ding da? fragte er verwundert. Was soll denn das darstellen?

Die Figur heißt „Lesender Klosterschüler", erklärte Helander.

Also noch nicht mal ein Heiliger, sagte Knudsen. Und wegen dem* soll ich nach Skillinge?

Es war nicht festzustellen, ob der junge Mann nun zuhörte,

dachte Gregor. Er behielt immer den gleichen Ausdruck von Gelassenheit. Er las weiter: ruhig und aufmerksam. Ebenso ruhig und aufmerksam würde er sein Buch zuklappen und aufstehen, wenn man zu ihm sagen würde: komm mit, du mußt eine Seereise machen.

Du wirst es nicht glauben, sagte Gregor zu Knudsen, aber du wirst das Ding nach Schweden bringen.

Ach, sagte Knudsen, was du nicht sagst!* Und wer sollte mich dazu zwingen? Du vielleicht?

Die Partei, erwiderte Gregor. Es ist Parteibefehl.

Knudsens höhnisches Lachen stieß sich einen Augenblick lang an den Gewölben. Parteibefehl, sagte er, von dir soll ich einen Parteibefehl annehmen?

Nichts stimmt zwischen diesen beiden,* dachte der Pfarrer. Knudsen haßt diesen Mann, den ihm seine Partei gesandt hat. Vor zwei Stunden hat Knudsen sich bei mir darüber beklagt, daß er nichts mehr für die Partei tun könne, daß die Partei tot sei. Warum freut er sich nicht, wenn ein Bote der Partei zu ihm kommt und ihm Aufträge gibt? Er scheint den Boten zu verachten, diesen Mann, der sich Gregor nennt.

Hör mal zu, Knudsen, sagte Gregor, du kennst die neue Taktik der Partei nicht! Wir arbeiten jetzt mit allen zusammen: mit der Kirche, mit den Bürgern, sogar mit den Leuten von der Armee.* Mit allen, die gegen die Anderen sind.—Er deutete auf die Figur: Wenn wir ihn wegbringen, liefern wir ein Beispiel für diese Taktik.

Taktik, dachte der Pfarrer, es ist alles nur Taktik bei ihnen.

Ich will nicht mit den Bürgern zusammenarbeiten, hörte er Knudsen sagen. Wenn wir rechtzeitig geschossen* hätten, könnten wir uns jetzt solche Fisimatenten* sparen.

Mach Schluß, sagte Gregor, wir haben jetzt keine Zeit für Diskussionen. Du wirst die Figur nach Schweden bringen!

Knudsen sah ihn an. Er hatte nun beide Hände in den

Taschen. Damit du eine Gelegenheit hast, nach drüben zu kommen, sagte er langsam.

Ach so, dachte der Pfarrer, darum handelte es sich also. Das war es, was zwischen den beiden spielte: ein kleines Drama aus Angst, aus Depression, aus Zersetzung. Es war also nicht so, daß diese Partei nur aus Eisernen bestand.* Sie bestand aus Menschen, die Angst oder Mut hatten. Diese beiden hatten Angst, und sie hatten es sich eingestanden—daher der Haß zwischen ihnen, ein heuchlerischer Haß. Sie waren noch nicht auf dem Grund ihrer Angst angelangt, dort, wo man sie einfach hinnimmt, still und ohne Vorwurf.

Mich kannst du aus dem Spiel lassen, sagte Gregor zu Knudsen. Wenn ich wegkommen will, komme ich weg. Aber die Figur übernimmst du!

Statt einer Antwort zog Knudsen seine Taschenuhr heraus. Er mußte sie dicht an die Augen halten, so dunkel war es in der Kirche geworden. Viertel vor fünf, sagte er dann. Höchste Zeit! Um fünf Uhr legt die „Pauline" ab.* Er sah Gregor und den Pfarrer noch einmal an und sagte: Worauf ihr euch verlassen könnt!

Er wandte sich ab und ging weg. Als er beinahe am Portal angelangt war, rief Gregor ihm nach: Genosse Knudsen!

Knudsen blieb stehen. Er sah zurück.

Es ist Parteibefehl, Genosse Knudsen, sagte Gregor.

Knudsen gab keine Antwort. Er setzte seine Schiffermütze auf und öffnete die Türe. Draußen war es heller als in der Kirche. Er blieb einen Augenblick stehen und dachte: das hab' ich hinter mir. Dann ging er schnell davon.

Seine Frau ist ein wenig geisteskrank, sagte der Pfarrer. Er hängt sehr an ihr.

Er schwieg und dann sagte er: Es wird mir nichts übrigbleiben, als die Figur zu verbrennen. Den Anderen lasse ich sie nicht in die Hände fallen.

Keine Sorge,* antwortete Gregor, Knudsen wird sie nach Schweden bringen.

Knudsen? fragte der Pfarrer erstaunt. Sie täuschen sich.

Gregor gab keine Antwort darauf. Passen Sie auf, begann er zu erklären, wir gehen jetzt zusammen hinaus, Sie werden abschließen und dann werden Sie mir unauffällig den Schlüssel für dieses Portal geben. Wir werden uns um Mitternacht in der Kirche treffen und zusammen die Figur abnehmen. Bringen Sie eine Decke und zwei Riemen mit, damit wir sie verpacken können!

Und dann?

Dann nehme ich sie mit.

Aber Knudsen wird dann längst weg sein.

Das wollen wir schon sehen,* sagte Gregor, fast träge.

Helander schüttelte ungläubig den Kopf. Aber ich sollte es versuchen, sagte er sich gleichzeitig. Dieser Mensch hat eine seltsame Sicherheit an sich. Es wäre merkwürdig, wenn dieser fremde Mensch meine Figur retten würde. Es wäre geradezu ein Wunder.

Taktik, fragte er plötzlich, ist das wirklich nur eine Taktik Ihrer Partei?

Klar, sagte Gregor, es ist Taktik. Eine neue Taktik ist etwas Wunderbares. Sie ändert alles.

Eine unverständliche und unbefriedigende Antwort, dachte der Pfarrer. Aber plötzlich sah er Gregors Hand. Sie lag auf der Schulter des „Lesenden Klosterschülers"; in einer leichten und brüderlichen Bewegung hatte sie sich auf das Holz gelegt.

DER JUNGE

Leg die Schoten fest, wir kriegen Wind, sagte Knudsen, und der Junge dachte: wir können noch soviel Wind kriegen, in richtige Gefahr kommen wir doch nie bei der Küstenfischerei. Wenn's ein bißchen mulmig wird, gehn die Fischer sofort unter Land, wo den Kuttern nicht das Geringste passieren kann. Der letzte, dem was passiert ist, ist Vater gewesen. 'nem Kutter kann nur was zustoßen, wenn er draußen auf offener See ist und so ab Windstärke 9.* Aber sie gehen nicht auf die freie See raus und bei Windstärke 7 drehen sie schon ab und fahren unter Land.

JUDITH · GREGOR · KNUDSEN

Eine Jüdin, dachte Gregor, das ist ja eine Jüdin. Was will die hier in Rerik? Er sah Judith unter den Menschen stehen, die zusahen, wie der schwedische Dampfer anlegte. Niemand blickte auf Judith, das war nicht üblich in den kleinen Häfen des Nordens, aber Gregor konnte sehen, daß sie nicht zu den Leuten gehörte; niemand sprach mit ihr, sie war eine Fremde, eine junge Fremde mit einem in Rerik ungewohnten Gesicht. Gregor erkannte das Gesicht sofort; es war eines jener jungen jüdischen Gesichter, wie er sie im Jugendverband in Berlin, in Moskau, oft gesehen hatte. Dieses hier war ein besonders schönes Exemplar eines solchen Gesichts. Und außerdem war es auf undefinierbare Weise von den Gesichtern, an die es Gregor erinnerte, verschieden.

Dunkelheit war hereingebrochen, besonders das Meer war völlig dunkel, es war nicht mehr blau und eisig, nur im Westen stand noch ein gelber Schein, und auf dem Hafenkai waren die großen elektrischen Scheinwerferlampen angezündet, die an Drähten hingen. Wenn Gregor auf das Meer hinausblickte, konnte er draußen das regelmäßige Blinken eines Leuchtturmes sehen. Das Heck des Dampfers schob sich nun langsam an den Kai heran; „Kristina — Kalmar"* las Gregor. Die Lampen überfluteten den Kai und das Schiff mit einem kalkigen Licht. Manchmal schwankten sie an ihren Drähten, denn die Luft war nicht mehr so ruhig wie am Nachmittag, harte kleine Windstöße fuhren aus den Hafenstraßen heraus über den Platz, und in den Böen sah Gregor das schwarze Haar des Mädchens, wie es in Strähnen und Schleiern über ihr Gesicht flatterte.

Es war überhaupt Bewegung in den Hafen gekommen. Knudsen, auf dem Deck der „Pauline" stehend, sah mit Mißfallen,

daß die ersten Kutter vom Fang zurückkamen; rasselnd liefen
sie ein, zwei, drei, vier schwarze kleine Boote, die bereits ihre
Topplaternen angezündet hatten, Krögers „Rerik 63" war
darunter, und Knudsen wurde nervös, denn er wußte, daß
Kröger, wenn er festgemacht hatte, auf ihn zukommen und ihn
ausfragen würde, warum er erst jetzt ausfahre. Mach zu,*
sagte er zu dem Jungen, der dabei war, die Taue des Besanschots
festzuzurren,* es wird Zeit, daß wir wegkommen; er selbst zog
das Großschot* stramm, denn er wußte, daß die Nocks* in den
harten Böen sofort beginnen würden, hin und her zu schlagen,
wenn man die Taue nicht festmachte. Nichts gefiel Knudsen
heute, er stellte fest, daß die Zeit, die er sich für die Abfahrt gesetzt
hatte, schon um eine halbe Stunde überschritten war, es war
halb sechs, immer mehr Leute kamen aus den Häusern und
Straßen heraus auf den Kaiplatz, um bei der Rückkehr der
Fischerflotte dabei zu sein; solche, die etwas dabei zu tun hatten,
und Müßiggänger, und das Hafenwasser war unruhig, es
klatschte hart gegen die Kaimauer, so daß die „Pauline" manchmal heftig bockte und an ihrer Vertäuung riß. Knudsen blickte
hinüber zu der Stelle des Kais, wo der Schwede festmachte, weil
er wußte, daß Gregor dort stand; er hatte ihn sofort bemerkt,
wie er von der Nikolaigasse her über den Platz gegangen war,
dorthin, wo das Schiff anlegte; auch darüber, besonders
darüber war Knudsen zornig. Der Kerl ist also nicht abgehauen,
dachte er, er treibt sich noch hier herum, was will er eigentlich?
Er soll sich doch nicht einbilden, der Schwede nähme ihn mit, so
einfach ist das nicht, die wollen keine Scherereien haben, sie
haben scharfe Anweisungen von ihren Reedereien.

Nummer drei, dachte Gregor, während er das Mädchen beobachtete, Nummer drei, die fliehen will. Erst war es nur ich,
dann ist der Klosterschüler dazu gekommen, jetzt diese da. Ein
reizendes Land—man steht vor fremden Schiffen an,* um es zu
verlassen. Er blickte über den belebten Platz: nein, diese Leute

alle wollten nicht fort, viele von ihnen mochten unzufrieden sein, aber sie kamen nicht auf die Idee, fortgehen zu wollen. Nicht einmal Knudsen, der doch bedroht war, wollte weg. Gregor sah Knudsen auf dem Deck des Kutters hantieren, er konnte ihn in der Dunkelheit nicht mehr sehr genau erkennen, aber er wußte, daß diese undeutliche Gestalt Knudsen war, daß Knudsen also noch nicht abgefahren war, sondern sich wütend aufhielt und ihn, Gregor, beobachtete. Er will bleiben, dachte Gregor, und sie alle wollen bleiben. Nur wir drei wollen weg,—ich, der Klosterschüler, das Mädchen. Aber es ist ein Unterschied, dachte er plötzlich, zwischen mir und den beiden anderen. Ich will weg, aber sie müssen weg. Ich bin zwar bedroht, mit dem Konzentrationslager, mit dem Tod, aber ich kann trotzdem frei entscheiden, ob ich bleibe oder gehe. Ich kann wählen: die Flucht oder das Martyrium. Sie aber können nicht wählen: sie sind Ausgestoßene.

Judith sah zu, wie die Breitseite des Schiffes sich an die Kaimauer heranschob, sie hörte das Aufrauschen des Wassers in dem Wirbel, den die Schraube erzeugte, ehe sie zum Stillstand kam, und die plötzliche Stille danach, in der auf einmal Rufe zu hören waren, Stimmen, Befehle, durch die Nacht und das Scheinwerferlampenlicht geschrien, bei denen es sich um das Festmachen der Taue an den eisernen Pfählen handelte, sie beobachtete, wie die Gangway von der Reling zur Kaimauer herübergeschoben wurde. Sie sah die ganze Schäbigkeit dieses kleinen, ausgedienten Dampfers, seine nachlässige Bemalung mit den großen roten Mennigflecken, die im Licht grell leuchteten,—die Reederei steckte kein Geld mehr in einen richtigen Anstrich—, die peinliche Sauberkeit der grau gewordenen Holzplanken des Decks, das erblindete Messing irgendeines Beschlags. Auf diesem Schiff gab es keinen Unterschied zwischen Offizieren und Mannschaften, Judith sah auf der Brücke zwei Männer stehen, einen älteren, kleinen, beleibten Mann und einen größeren, jungen, aber sie

trugen Lederjacken und Schiffermützen, wie die Leute von der
Mannschaft auch, die an der Reling standen, zum Ausgang bereit.
Es gibt auf diesem Dampfer keine Offiziere, dachte Judith, keine
gebildeten Männer, an die ich mich wenden kann; in ihrer
Vorstellung tauchte das Bild eleganter, blaugekleideter Seeoffi-
ziere auf, mit goldenen Streifen an den Ärmeln, ein schmissiges
Plakat von Herren, Kavalieren mit intakten Ehrbegriffen,*
schweigend bereit, den Schutz einer Dame zu übernehmen.
Sie wischte das Bild weg. Es gab Lederjacken, denen man Geld
anbieten mußte. Hoffnungslos, dachte sie, ich bin gar nicht
imstande dazu, ich habe niemals in meinem Leben jemand Geld
angeboten, ich werde es bestimmt falsch machen.
  Über den Platz kamen zwei Polizisten auf die Anlegestelle zu,
Landespolizisten* in grünen Uniformen, die schwarzen Stiefel
glänzend gewichst. Gregor beobachtete den Ausdruck von
Angst in Judiths Gesicht, als sie die beiden Männer erblickte; sie
zog sich langsam und unsicher aus dem runden Lichtkreis der
Kailampe zurück. Sie hat keine Ahnung, dachte Gregor, sie
weiß nicht, daß die Grünen ungefährlich sind, gefährlich sind
nur die Anderen. Gefährlich sind auch die Leute hier, die
alle so tun, als sähen sie die Fremde überhaupt nicht,
aber sie sehen sie doch und beobachten sie, auch wenn
sie sie nicht anstarren, wie es die Leute in einem Hafen im
Süden tun würden. Gefährlich werden ihre Reden nachher
sein, unter sich, in ihren Häusern, die abgerissenen Worte, die
halben Sätze, „hast du die gesehen?", das Ungefähre einer mißgünstigen Verwunderung,* das dunkle Gerücht, aus dem Nichts
aufsteigend und um die Türme von Rerik wehend, bis an die
Ohren der Anderen. Gregor sah sich unter den Menschen, die
am Kai standen, sorgfältig um, ob ein Spitzel der Geheimen
Staatspolizei* darunter war. Eine seiner Begabungen, für die
er immer wieder von den Genossen gelobt wurde, war, daß er
unter hundert Leuten mit unfehlbarer Sicherheit einen Achtgro-

schenjungen* herausfand. Das Gesindel war leicht zu erkennen für ihn; er hatte einen Blick dafür. Hier, in Rerik am Kai, war die Luft noch rein, stellte er fest. Sie vernachlässigen Rerik, dachte er, aber sie vernachlässigen es, weil sie wissen, daß man von hier nicht fliehen kann. Er wäre am liebsten zu dem Mädchen hinübergegangen, das jetzt am Rand des Lichtkreises stand, und hätte es darüber aufgeklärt, daß Rerik ein schlechter Platz war, um wegzukommen. Der Schwede, der arme alte Schwede nahm sie nicht mit, der nahm niemand mit, er war ein ängstlicher alter Dampfer, der sich genau an die Gesetze hielt, das konnte man sehen. Etwas Hoffnungsloses ging von dem Schiff aus, es riskierte kein Abenteuer mehr, das war sicher, kein Abenteuer für ein junges, schwarzhaariges Mädchen, das einen hellen Trenchcoat anhatte, für eine Fremde mit einem schönen, zarten, fremdartigen Rassegesicht, für eine Ausgestoßene mit wehenden Haarsträhnen über einem hellen, elegant geschnittenen Trenchcoat.

Knudsen konnte Gregor nicht mehr genau im Auge behalten, weil jetzt so viele Menschen sich auf dem Kai befanden, daß Gregor immer wieder verdeckt wurde, auftauchte und aufs neue verschwand. Auch bewegte er sich; Knudsen sah den grauen Anzug mit den Fahrradklammern an den Hosen an verschiedenen Stellen sichtbar werden, aber immer bewegte er sich in dem Kreis der Lampe, welche die Ankunft des schwedischen Dampfers grell beleuchtete. Was will er dort, dachte Knudsen, wird er so verrückt sein, die Schweden sofort anzuhauen?* Er zwang sich, zu denken: ist mir ja ganz gleich, dieser Bursche aus dem Zentralkomitee, der türmen will, geht mich nichts mehr an. Nichts mehr geht mich etwas an. Er sah Bertha drüben aus dem Haus treten und auf den Kutter zukommen. Sie trug mit beiden Armen zwei große Proviantkörbe. Sie kam auf Deck und stellte die Körbe ab, Knudsen sah, daß sie alles gerichtet hatte: die Thermosflaschen mit Kaffee und den Kanister mit Suppe

und die Pakete mit belegten Broten, alles Nötige für eine Fahrt
bis übermorgen abend, für eine Zweitagesfahrt mit dem kleinen
Schleppnetz auf den Dorsch, die Arbeit für einen Mann und
einen Jungen. Er fuhr ihr mit der Hand über den Arm, ihr
blondes Haar glänzte, und er merkte, daß sie in den kalten
Windstößen fröstelte. Geh ins Haus, sagte Knudsen, ich lege
gleich ab. Sie sah ihn mit ihrem freundlichen Lachen an und
sagte: aber ich muß dir noch einen Witz erzählen. Nein, jetzt
nicht, erwiderte Knudsen und schob sie auf den Kai hinauf. Sie
stand einen Augenblick oben und blickte freundlich auf ihn
herab, aber in ihre Augen trat etwas Trauriges, ein Ausdruck von
Hilflosigkeit, und ihren ganzen Körper schien eine krampfartige
Spannung zu überfallen. Also erzähl schon, sagte Knudsen, und
sie erzählte ihren Witz und dann ging sie zum Haus zurück und
winkte Knudsen von der Türe aus noch einmal zu. Ich kann
nicht weg, dachte Knudsen, als er ihr nachsah, was soll aus Bertha
werden, wenn ich nicht da bin?

Gregor faßte in seine Hosentasche und vergewisserte sich, daß
er den Schlüssel hatte, den Schlüssel zur Georgenkirche. Er
erinnerte sich an sein Fahrrad, das noch immer am Pfarrhaus
lehnte. Ich könnte schon längst weg sein, dachte er, wenn ich
nicht den Schlüssel genommen hätte, aber er bedauerte es nicht,
ihn genommen zu haben. Es gab keine Möglichkeit, von hier zu
entkommen, also konnte er genau so gut erst noch diese Sache mit
der Figur erledigen, ehe er weiterfuhr. Er hatte tadellos ge-
fälschte Papiere in der Tasche und genügend Geld, um es noch
eine Weile auszuhalten. Er wußte, daß er unauffällig aussah,
ein magerer junger Mann, etwas unter mittelgroß, mit einem
grauen Anzug und dunklen Haaren, ein Mann, wie es ihn
überall gab. Er würde weiterradeln,* morgen oder vielleicht
noch heute nacht, nach Westen. Es gab im Emsland* ein paar
Übergänge, die todsicher waren; er würde sie schon ausfindig
machen. Er fühlte sich noch immer bedroht, er wollte noch

immer kneifen, aber auf einmal hatte das alles Zeit, die Gefahr schien einen Augenblick stillzuhalten, in den Ablauf der Flucht war eine Pause eingetreten. In den drohenden Tag, in den kalten, farblosen, späten Oktobertag hatten sich merkwürdige Sensationen gelegt wie farbige Emailflächen,* die roten Türme von Rerik, die Erinnerung an den goldenen Schild von Tarasovka, die Figur eines jungen Mannes, der las. Und zuletzt dieses junge Mädchen. Der leere Tag hatte sich gefüllt: mit den Augen von Ungeheuern, die in die Ewigkeit der eisblauen See starrten, mit dem Gold seines ersten Verrats* an einem Dogma, mit der holzbraunen Gelassenheit eines ungläubigen Lesers, mit dem Windschwarz der Haare vor einem bleichen, flüchtenden Gesicht. Er begriff auf einmal, daß er die Partei vergessen hatte und daß er frei war, befreit durch Dinge, die sich überhaupt nicht fassen ließen: Türme und Gelassenheit, Windschwarz und Verrat. Sie waren stärker als die Partei; sie waren es, nicht die Partei, die seinen schon zur Flucht gewendeten Fuß innehalten ließen, so daß er sich jetzt ziellos, fast spielerisch, am Hafen von Rerik herumtrieb, das Mädchen umkreisend wie ein aufmerksamer grauer Vogel, den Schlüssel in der Faust, der ihn zu dem Klosterschüler führen würde, und zugleich beobachtend, ob Knudsen wartete oder ausfuhr.

Es ist gänzlich Nacht geworden, dachte Judith, in das Dunkel am Rand des Lichtkreises zurückgezogen, in ein Schattensegment zwischen dem einen Lampenrund* und dem nächsten, und kalt ist es auch, und ich kann nicht ins Hotel zurück, weil ich meinen Paß nicht herzeigen kann. Aber ich kann auch nicht den Koffer einfach oben im Zimmer stehen lassen und verschwinden, er ist das Letzte, was ich besitze, und außerdem würde mich das verdächtiger machen, noch verdächtiger als wenn ich ihn jetzt abhole und fortgehe. Und dann gibt es noch die Möglichkeit, den Wirt nachts klopfen zu lassen. Er verschafft mir dann vielleicht auch eine Möglichkeit, von hier fortzukommen; er ist einer, der

alle Wege kennt. Sie ertappte sich dabei, daß sie diesen Ausweg
nicht mehr ganz so abstoßend fand wie vorhin, in der Wirtsstube,
oder vielmehr: sie fand ihn noch genau so abstoßend, aber nicht
mehr so völlig absurd und undenkbar. Vielleicht war es immer
auf Fluchten so, daß das flüchtende Mädchen sich einem Scheusal
hingeben mußte, dachte sie verzweifelt und romantisch. Die
Nacht war jedenfalls schrecklich, dunkel und kalt, das Meer
hinter dem Hafen war schwarz und nicht mehr vom Himmel
zu unterscheiden im grellen Licht der Kailampen, die Häuser
waren unten blutigrot und oben, wo sie nicht mehr vom Licht
erfaßt wurden, dunkelrot, viele Menschen gingen als aufrechte
Schatten ihrer liegenden Schatten umher, Schlagschattenschwärze unter ihren Nasen,* in ihren Augen, und die eiskalten
Windstöße flatterten wie Fahnen zwischen ihnen, wie die kalten
Fahnen der blutigroten Türme, die jetzt angestrahlt waren, grelle,
wütend aufgerichtete, geblendete und blutende Ungeheuer.
Wenn ich nur einen Menschen hier kennen würde, dachte Judith,
ich kann doch nicht in diese Nacht hinausfliehen, ich hätte auf
Heises Ratschläge hören sollen. Mutlos blickte sie auf die
Fahne, die blaue Fahne mit dem gelben Kreuz, die manchmal in
einer Bö knatterte; sie war das einzige hier, was nicht blutigrot
war, kalkweiß oder schattenschwarz. Judith sah zu, wie die
Männer von Bord gingen, zuerst die Mannschaft, dann auch die
beiden, die oben auf der Brücke gestanden hatten; der ältere,
beleibte, wandte sich der Stadt zu, der jüngere folgte den Leuten
von der Mannschaft, die zum „Wappen von Wismar" hinüber-
gingen. Zwei Männer blieben auf dem Schiff zurück, sie sahen
zu, wie die Menschen, die das Anlegen des Dampfers beobachtet
hatten, sich verliefen, wie sie sich dem Teil des Kais zuwandten,
an dem jetzt die ersten heimkehrenden Kutter der Fischerflotte fest-
machten. Auch Judith ging ein paar Schritte in diese Richtung,
aber sie blickte die ganze Zeit auf die weißgestrichene Front des
„Wappen von Wismar", die schwedischen Seeleute drängten

durch die grüngestrichene Türe hinein, die hinter ihnen zufiel,
über der Türe brannte eine Laterne hinter rauchgelben Gläsern,
das „Wappen von Wismar" war auf einmal wieder eine Seefahrer-
herberge, vielleicht komme ich mit ihnen ins Gespräch, oder der
Wirt hilft mir, der böse Wirt hinter der grünen Türe, der Chinese
in der Herberge mit dem alten schönen Namen, aber lieber
wären mir die schwedischen Matrosen, dachte Judith, sie fror,
und langsam ging sie auf das weiße Haus zu.   Sie riskiert es also,
dachte Gregor. Sie rechnet damit, daß die Schweden sie an
hauen und daß sie so eine Chance bekommt, mitgenommen zu
werden.   Es ist eine Chance von eins zu neunundneunzig, dachte
er.   Nein, korrigierte er sich, sagen wir von zehn zu neunzig.
Es konnte sein, daß der Mann, mit dem sie es zu tun bekam,
politisch in Ordnung war, oder ein toller Hund, der gern einmal
und im Ernst hoch spielte.*   Ein Mädchen wie dieses bekam
man nicht alle Tage geboten; man konnte sich schon vorstellen,
daß es klappte, wenn sie an einen richtigen Kerl geriet.*   Wenn
sie es zum Beispiel mit ihm, Gregor, zu tun bekäme . . .,—er
begann sich auf einmal der Aufregung bewußt zu werden, in der
er sich befand, er hatte Feuer gefangen, stellte er fest, und zwar
hing seine Erregung mit dem jungen Mann zusammen, der las,
mit dem Genossen Klosterschüler, wie er ihn bereits bei sich
nannte.   Seit dem Augenblick, in dem er ihn gesehen hatte, war
er in eine Aufregung geraten, in eine überspannte, erwartungs-
volle Aufregung; es war dasselbe Gefühl wie damals, vor sieben
oder acht Jahren, als er die Partei entdeckt hatte, die Partei und
die Revolution.   Und nun kam noch dieses Mädchen dazu.   Er
fühlte, wie sich ein Netz von Beziehungen anspann, zwischen
dem Burschen in der Kirche und dem Mädchen und ihm, Gregor,
selber.   Aber nur einer konnte das Netz auswerfen: Knudsen.
Wenn Knudsen nicht wartete, zerfiel das Abenteuer wie Staub.
Wenn er kniff, zerriß das Netz.   Sollte er hinübergehen und es
ihm sagen? Die „Pauline" lag noch immer dort drüben, und

Gregor sah Knudsen mit dem Aufrollen einer Stahltrosse beschäftigt. War es die Ankertrosse? Nein, soviel wußte Gregor, daß solche Boote im Hafen nicht verankert wurden; sie waren mit Tauen am Pier vertäut. Er konnte sich jetzt nicht weiter um Knudsen kümmern. Außerdem wußte er, daß es falsch wäre, jetzt noch einmal mit Knudsen zu sprechen. Es mußte jetzt klappen, ohne daß ein weiteres Wort gesprochen wurde. Lieber Gott, betete er, mach, daß Knudsen bleibt! In bestimmten Augenblicken, in den Augenblicken, auf die es ankam, betete Gregor immer. Er dachte sich gar nichts dabei; es kam von selbst. Dann bückte er sich und löste die Fahrrad-klammern von seinen Hosen, ehe er das Gasthaus betrat. Er schob sie in die Tasche, wo sie leise an den Kirchenschlüssel klirrten.

Es war doch das Ankerspill, an dem Knudsen arbeitete; er legte es zurecht, um draußen ankern zu können; bei der Brise, die seit einiger Zeit wehte, mußte er das Boot festlegen, wenn er das Schleppnetz auslegte. Und nun sah er wirklich Kröger auf sich zukommen, den großen Kröger, den früheren Genossen Kröger, einen Ochsen von einem Mann, und natürlich brüllte Kröger ihm schon von weitem zu: Mensch, warum bist du nicht mit raus,* der Dorsch steht ganz dick beim Buksand. Knudsen ließ ihn herankommen; er bemerkte, daß die Leute, die auf dem Kai herumstanden, zuhören wollten, und er sagte leise zu Kröger: Ich war krank. Die Galle. Aber Kröger sagte dröhnend: Du und krank!*

Rindvieh, sagte Knudsen, schrei noch etwas lauter, wenn du kannst!

Was ist denn los? fragte Kröger und glotzte ihn an. Ist was mit Bertha, setzte er zögernd hinzu.

Was soll denn mit Bertha sein? fragte Knudsen gereizt. Mit Bertha ist gar nichts. Ich war krank.

Kröger sah ihn mißtrauisch an. Er ahnt etwas, dachte

Knudsen, er ist zwar ein Ochse, aber er hat zu lange in der Partei gearbeitet, um nicht etwas zu ahnen.

Na schön, sagte Kröger, dann bist du eben krank gewesen. Aber ich wär rausgefahren, auch wenn ich noch so krank gewesen wäre. Der Dorsch . . .

Ja, ich fahr' ja schon, unterbrach Knudsen ihn. Kröger folgte seinem Blick, aber er konnte nichts ausmachen, was ihn interessiert hätte.

Guten Fang, sagte er und ging weg. Knudsen löste seinen Blick von der grünen Türe des „Wappen von Wismar" und sah Kröger nach. Der Ochse, dachte er, der nichts mehr mit der Partei zu tun haben will. Und ich, bin ich besser als er? Bin ich seit heute nachmittag was anderes als ein stummer Fisch? Er dachte haßerfüllt an Gregor. Der Kerl aus dem ZK, der kneifen will, dachte er, er hat mich zum stummen Fisch gemacht. Zu einem Ochsen wie Kröger. Und dann bleibt er hier, sann Knudsen. Er geht noch nicht einmal weg. Wirklich wegen der Figur des Pfaffen? Oder weil er glaubt, er käme mit dem Schweden weg? Oder mit mir? Ich werde ihn bei Brägevoldt verpfeifen als Deserteur, dachte Knudsen. Aber ich bin selbst einer. Ich habe es diesem Mann Gregor zugegeben.

Soll ich die Leinen losmachen, fragte der Junge, fahren wir los, Käpten?*

Nein, sagte Knudsen. Ich hab' noch was zu erledigen. Du kannst heimgehen. Ich hol' dich dann.

DER JUNGE

Er fing nun langsam doch an, sich zu wundern. Was hat der Fischer nur, dachte er, die anderen kommen schon zurück und er schiebt das Auslaufen immer wieder raus. Seit drei Tagen liegt er schon im Hafen rum, obwohl der Dorsch draußen steht. Na, mir kann's recht sein,* dachte der Junge, ich geh' nochmal in mein Versteck. Aber ehe er den Hafenkai verließ, ging er zu dem Schweden rüber. Wenn es keine Papiere gäbe, dachte er, könnte ich fragen, ob sie noch einen brauchen können. Früher war sowas möglich, dachte der Junge, wenn das stimmt, was in den alten Geschichten steht, damals konnte ein Junge, der es zuhause nicht mehr aushalten konnte, einfach weg. Aber heute muß der Schwede, wie jedes andere Schiff, 'ne Mannschaftsliste führen und sie sich im Hafenamt klarieren lassen.* Und die im Hafenamt würden Augen machen, wenn sie seinen Namen auf der Mannschaftsliste fänden; sie würden ihn sofort herunterholen. Der Junge prüfte, ob es vielleicht eine Möglichkeit gab, als blinder Passagier mitzukommen. Aber sie hatten natürlich eine Deckswache von zwei Mann stehen, und der Pott war viel zu klein, um ungesehen auf ihn raufzukommen.

JUDITH

Der Wirt hatte bis jetzt nicht wieder von dem Paß angefangen, obwohl sie lange ausgeblieben war. Sie war sogar
zuerst auf ihr Zimmer gegangen, um auszuprobieren, ob er sie
erinnern würde, wenn sie wieder nach unten kam. Aber er
hatte nichts gesagt; er hatte sie nicht einmal angesehen. Aller-
dings war er ziemlich mit den Schweden beschäftigt, sie waren
nur sieben oder acht Mann, aber sie füllten doch beinahe die
kleine Gaststube,—die größere war jetzt, im Spätherbst, nicht
mehr offen—, drei von ihnen standen an der Theke, die anderen
saßen an einem Tisch Judith gegenüber, unter ihnen der große
jüngere Mann, den Judith auf der Brücke gesehen hatte. Sie
hatten Bierflaschen mit Gläsern vor sich stehen und große Gläser
mit wasserklarem Schnaps. Sie hatten sich an den Tisch gesetzt,
über dem, an der Wand, ein Bild des Führers der Anderen* hing,
aber sie schienen das gemeine, vollkommen seelenlose Bastardgesicht* nicht zu beachten, nicht aus Unhöflichkeit, sondern weil
es sie nicht interessierte; sie waren offenbar schon aus vielen
Besuchen in deutschen Häfen daran gewöhnt und wunderten
sich nicht mehr darüber; es war für sie sicherlich nicht mehr als
eine nationale Eigenart, nichts anderes als ein Guinneßplakat
in einer Kneipe in Hull oder ein Bild der Königin im Hafenamt
von Delfzijl.* Schlechte Aussichten für mich, dachte Judith,
wenn sie sich einfach da hinsetzen können, unter dieses Gesicht,
ohne sich gestört zu fühlen. Das Radio war angestellt; es spielte
Märsche und Schlager, unterbrochen von der Stimme des
Ansagers. An der einen Hälfte des Längstisches vor den Fenstern,
die jetzt von blaugemusterten Vorhängen verdeckt waren, saßen
ein paar Einheimische, ein dickes, kleines, dunkelhaariges Mädchen brachte ihnen Bier, es waren aber keine Fischer, sondern

Kleinbürger aus der Stadt, Händler. Am anderen Ende dieses
Tisches, von ihnen getrennt, saß ein junger Mann in einem
grauen Anzug, ein Fremder vielleicht, er aß ein Bauernfrühstück,
ein Gericht aus gebratenen Kartoffeln, Eiern und Fleisch.
Wenigstens ist noch eine Kellnerin da, dachte Judith, sonst wäre
ich die einzige Frau hier. Wenn Mama hier wäre, würde ich
mich völlig sicher fühlen; Mama hatte eine wunderbar sichere
Art, mit allen Arten von Leuten umzugehen, und sie dachte an
die noch im Tode sichere und feingegliederte Hand, ausgestreckt
und gelassen neben der Tasse ruhend.

Sie sah wieder das weiße Lampiongesicht des Wirtes hinter
der Theke schwimmen; in dem künstlichen Licht der Leuchter
aus gelblichem Rauchglas wirkte es noch phantomhafter als bei
Tage. Er unterhielt sich mit den drei Schweden, die an der
Theke standen, in einem Gemisch aus Deutsch, Englisch und
Schwedisch. Judith versuchte, mitzuhören, um etwas über
das Schiff zu erfahren, aber sie verstand nichts; die Radiomusik
war zu laut. Als die Kellnerin an ihren Tisch kam, bestellte sie
bei ihr eine Omelette und Tee. Ich kann nichts essen, dachte
sie, es wird schrecklich sein, etwas essen zu müssen.

Sie fühlte, wie die Schweden am Tisch gegenüber sie be-
obachteten, obwohl sie nicht direkt zu ihr herübersahen. Sie
saßen, ohne sich miteinander zu unterhalten, auf ihren Stühlen,
rauchten und tranken mit ordentlichen und aufmerksamen
Bewegungen abwechselnd Bier und Schnaps. Die kleine
Kellnerin mußte die Gläser häufig wechseln.

Zum ersten Mal, seitdem sie in das „Wappen von Wismar"
zurückgekehrt war, erfaßte Judith jetzt auch wieder einen Blick
des Wirtes. Sie versuchte, ihn zu erwidern, aber es gelang ihr
nicht recht; scheu senkte sie die Augen. Nur die Einheimischen
beachteten sie nicht; sie sprachen miteinander. Ob der junge
Mann in dem grauen Anzug von ihr Notiz nahm, konnte sie
nicht feststellen; er aß und las dabei die Zeitung.

Der Wirt ging in die Küche hinaus und nach einiger Zeit brachte er ihr selbst die Omelette und ein Glas mit hellem, dünnem Tee. Er spielte vor dem Lokal* den Mann, der einen distinguierten Gast auszeichnen will; alle blickten jetzt zu ihr herüber.

Sie sind lange spazieren gegangen, sagte er, hat Ihnen die Stadt gefallen?

Ich war nur draußen vor der Tür, erwiderte Judith, Sie hätten mich die ganze Zeit sehen können. Das hätte ich nicht sagen sollen, dachte sie, das klingt ja so, als gäbe ich ihm das Recht, mich zu kontrollieren. Ein hübscher Hafen, fügte sie hastig hinzu.

Sie hätten ihn früher sehen sollen, sagte der Wirt. Da war was los bei uns. Er hat etwas gesagt, dachte Judith, und ich habe gar nicht hingehört. Ich bringe Ihnen dann gleich den Paß, sagte sie, ich habe vorhin nicht dran gedacht, als ich oben war. Wieder ein Fehler, dachte sie im gleichen Moment, ich habe wieder einen Fehler gemacht.

Stimmt, sagte der Wirt, ich hätt's beinah vergessen. Sie müssen mir noch den Paß geben.

Es war ihr unmöglich, ihn anzusehen. Er ist ekelhaft, dachte sie. Sie blickte auf ihren Teller und sah nichts von ihm als seinen Bauch, eine Wölbung unter einem alten braunen Anzug, einen garstigen Bauch, der neben ihrem Tisch aufwuchs. Es gibt also diese Möglichkeit nicht, dachte sie, die ich mir vorhin am Hafen draußen ausgedacht habe, das Klopfen des Scheusals an der Türe, nachts, die romantischen Scheusalschritte nachts auf dem Gang, nichts ist romantisch, alles ist nur garstig, alles, alles, alles. Dennoch gab ihr gerade dieser Gedanke die Kraft, sich zu wehren. Ich muß ihn hinhalten, dachte sie, und sie gab sich einen neuen Anlauf.*

Schlimmstenfalls müssen Sie mich wecken, sagte sie frech, mit einem Rückfall ins Backfischhafte,* das ihr noch immer gelang, wenn sie es wollte. Sie blickte ihm dabei ins Gesicht. Seine Augen waren zu Schlitzen geworden.

Wie Sie wollen, sagte er. Das kann aber spät werden, heute nacht. Er wies mit einer Schulterbewegung auf die Schweden: Die bleiben lange.

Es war ihm anzumerken, was er dachte. Eine hübsche Krabbe* bin ich in seinen Augen, dachte Judith, eine hübsche verdorbene Krabbe.

Ich bringe den Paß schon noch herunter, ehe ich schlafen gehe, sagte sie.

Wie Sie wollen, wiederholte er, nun fast eifrig. Es macht mir nichts aus, Sie zu wecken. Er war nun einer von den besorgten Fetten, die eine Abmachung immer und immer wieder bestätigt haben wollen. Er ging hinter die Theke zurück.

Vor dem habe ich eine Weile Ruhe, dachte Judith. So lange, bis er an die Türe klopft. Oder bis ich mich aus dem Haus geschlichen habe. Es muß einen Hinterausgang geben. Aber wohin soll ich von hier aus gehen? Den Koffer kann ich dann nicht mit mir nehmen. Und man wird mich spätestens morgen früh aufgreifen, auf irgendeiner Landstraße um Rerik, oder auf irgendeinem kleinen Bahnhof der Umgebung, ein Mädchen mit einer Handtasche, in der sich viel Geld befindet und ein Paß, der einen großen roten Stempel trägt: Jude. Sie sah sich um. Niemand schaute jetzt mehr zu ihr hin.

Der Wirt hatte zuletzt so leise mit ihr gesprochen, im Ton des geheimen Einverständnisses, daß sie unmöglich etwas von der Unterhaltung hatten verstehen können. Judith stocherte in der Omelette herum. Sie hörte die Stimme des Radioansagers: Wir bringen jetzt ein Lied aus dem Tonfilm „Heimat", gesungen von Zarah Leander.*

Gleich darauf setzte die Musik ein. Judith sah, daß die Schweden sich zum erstenmal gegenseitig anblickten. Dann sahen sie wieder geradeaus, mit Blicken, die nun nicht mehr hindämmerten,* sondern mit starren, verlegenen und belästigten Blicken, als die Sängerin einsetzte: man nennt mich Miß Jane, die berühmte, bekannte, yes sir ...

Judith war für einen Augenblick hingerissen von der Stimme, einer tiefen, spöttischen Stimme, die elegant im Rhythmus des Schlagers schwang: ... nicht sehr beliebte bei Onkel und Tante, no sir ... Es entging ihr, daß einer der schwedischen Seeleute ausspuckte und laut ein weiteres Bier verlangte, und daß der graue junge Mann von der Zeitung aufblickte und nach dem Tisch der Schweden hinübersah.

Sie wurde im Zuhören unterbrochen, als die Kellnerin ein Glas Schnaps vor sie hinstellte.

Ich habe das doch nicht bestellt, sagte Judith.

Es kommt von dem Herrn dort drüben, erwiderte die Kellnerin. Sie wies auf den großen jüngeren Mann am Schweden-Tisch.

Ich muß es zurückweisen, dachte Judith. Unwillkürlich sah sie zur Theke hin—natürlich, der Wirt beobachtete sie. Aber es ist die Gelegenheit, überlegte sie rasch, die einzige Gelegenheit, mit dem Schiff in Verbindung zu kommen. Und ich habe sie gewollt. Die Stimme sang jetzt den Refrain: ... so bin am ganzen Leibe ich ... Während Judith noch überlegte, was sie tun solle, sah sie, daß der junge Schwede sich erhoben hatte und auf sie zukam. ... ja, so bin ich und so bleibe ich, yes sir ... beendete die Stimme den Refrain, triumphierend und melancholisch. Dann spielten nur noch die Instrumente.

Der Mann stand nun an ihrem Tisch, ein großer Mensch, blond. Er hat ein anständiges Gesicht, dachte Judith, ein helles Gesicht, in dem nicht viel drin ist,* ein anständiges, unreifes Gesicht. Er ist ein bißchen betrunken. Sie hörte, wie er unbeholfen sagte: Von mir ...

Sie sagte auf englisch zu ihm: Nett von Ihnen. Aber ich trinke so etwas nicht.

Oh, sagte er bestürzt und zugleich erfreut, weil sie englisch

mit ihm sprach. Sie trinken das nicht? fragte er, gleichfalls in
Englisch, das ihm offenbar leichter fiel als Deutsch. Er stieß mit
dem Finger an das Glas, es stürzte um und die Flüssigkeit rann
über das Tischtuch. Sie wurde rasch aufgesogen.

Die Sängerin hatte wieder angefangen zu singen. Der Wirt
kam herbei. Setzen Sie sich wieder hin, sagte er wütend auf
schwedisch. Lassen Sie die Dame in Ruhe! Der Schwede
kümmerte sich gar nicht um ihn. Er hatte mindestens ein
halbes Dutzend Gläser Schnaps getrunken. Er blieb ruhig
stehen, während der Wirt das Tischtuch abnahm und damit die
Platte trocken rieb.

Wollen Sie Whisky? fragte der Seemann. Es ist furchtbar
peinlich, dachte Judith, sogar vom Tisch der Einheimischen
schauen sie jetzt zu mir her. Aber ich habe keine Wahl.

Sie nickte. Whisky ist etwas sehr Schönes, sagte sie. Whisky ist
wirklich etwas sehr Schönes, dachte sie. Ich mag Whisky gern.
Sie vertraute sich wieder ein paar Augenblicke lang der tiefen,
singenden Stimme an, dem spöttischen Kitschlied* ... sie
fürchten, ich könnte den Onkel, den Neffen, sang die Stimme,
im Spielsalon oder im Himmelbett treffen ... Es müßte dunkel-
blonder schottischer Whisky sein, dachte Judith, milder, starker,
trockener Whisky mit einem Geruch nach Roggen. Papa hatte
immer welchen und er ließ mich manchmal daran nippen. Er
riecht nach Roggen, sagte er immer, merkst du es? Nach Roggen
und Schottland und Seewind und uralten Fässern. Sie war ein
kleines Mädchen gewesen, damals, und sie hatte ins Glas geblickt,
in die blonde Roggenflut, in der ein Eiswürfel mit bläulichen
Rissen langsam zerging.

Kommen Sie mit, hörte sie den Schweden sagen, wir haben
einen echten Scotch auf dem Schiff. Ich lade Sie ein. In der
Gaststube war es jetzt totenstill. Nur die Stimme sang immer
noch.

Hören Sie, sagte der Wirt, das können Sie aber nicht machen!

In meinem Lokal können Sie keine Damen belästigen.

Der Schwede sah ihn zum erstenmal an. Dein Scheiß-Lokal interessiert mich nicht, sagte er.

Der Wirt packte ihn am Arm. Du besoffenes Schwein, sagte er. Die Seeleute, die um den Tisch saßen, erhoben sich langsam. Aber der Wirt hatte Mut. Er nahm seine Hand nicht von dem Arm des großen Blonden. Du besoffenes Schwein zahlst jetzt, was du getrunken hast, und dann verschwindest du, sagte er.

Judith hatte sich erhoben. Ich komme mit, sagte sie, ich will gerne Ihren Whisky probieren.

Der Schlager rauschte noch einmal auf und erlosch. Irgend jemand drehte das Radio ab. Der blonde Schwede hob seinen freien Arm und legte ihn auf das Handgelenk des Armes, mit dem der Wirt ihn gepackt hielt. Hoffentlich schlagen sie sich nicht, dachte Judith. Wenn es eine Schlägerei gibt, dann kommt die Polizei und dann werden alle Personalien festgestellt.

Aber der Wirt ließ von selbst seinen Arm sinken. Sie sind ja ein nettes Flittchen,* sagte er zu Judith auf deutsch. Sie wurde blaß. Der Schwede verstand nicht, was der Wirt zu Judith sagte, aber er erriet, daß er sie beschimpfte. Hör mal, sagte er, das Mädchen kann tun, was es will, und wenn du nicht deine Schnauze hältst . . .

Judith, die hinter dem Tisch hervorgetreten war, faßte ihn am Arm. Lassen Sie ihn, sagte sie. Aber es war deutlich, daß der Schwede und seine Kameraden jetzt eine Schlägerei wünschten. In diesem Augenblick rettete der graue junge Mann die Situation, indem er nach dem Wirt rief. Er rief mitten in die Stille hinein mit so scharfer, klarer Stimme, daß die Spannung zerfiel. Der Wirt trat aus dem Halbkreis heraus und ging auf ihn zu.

Kommen Sie, sagte Judith zu dem Schweden, wir wollen gehen. Sie nahm ihren Mantel von der Wand. Der Schwede blickte unwillig dem Wirt nach, ehe er sich ihr zuwandte.

Haben Sie noch ein Zimmer frei, hörte sie den grauen jungen Mann sagen.

Sie können das Zimmer von der da haben, sagte der Wirt. Die fliegt raus. Solche wie die fliegen bei mir raus.* Er sprach es zu dem Tisch der Einheimischen hinüber, die mit den Köpfen nickten. Fräulein, rief er dann Judith zu, Sie können Ihren Koffer gleich mitnehmen. Zahlen Sie ihr Abendessen und hauen Sie ab!

Judith blieb unschlüssig stehen. Das wäre die beste Lösung, dachte sie. Der beste Ausweg aus der Sache mit dem Paß. Aber ich kann doch jetzt nicht meinen Koffer holen und mit meinem Koffer in der Hand neben dem Schweden her auf das Schiff gehen. Der Schwede, der nichts verstanden hatte, überhob sie einer Antwort. Er warf einen Geldschein auf die Theke und drängte sie zur Türe. Ich sollte doch meinen Koffer mitnehmen, dachte Judith, vielleicht komme ich nie wieder zurück, aber wenn ich auf dem Schiff bleiben kann, holt mir vielleicht ein Matrose den Koffer ab. Sie erfaßte noch den Blick des Wirtes, ein Gemisch aus Wut und Spähen nach der Größe des Geldscheins, den der Schwede zurückließ, das gelbe Rauchlicht der Gaststube saugte sich noch einmal an ihr fest, sie riß sich los, die Schwingtüre knarrte, sie spürte den Griff des Schweden um ihren Arm, und wie er sich lockerte und ihn freigab.

Draußen brannten noch immer die hellen, kalten Kailampen, weiße Kreise mit Nacht rundherum. Die meisten Leute waren nach Hause gegangen, nur noch wenige Menschen trieben sich bei den Booten herum.

Ein böser Mann, sagte der Schwede auf deutsch. Er suchte die Worte zusammen, um das plötzlich zwischen ihnen eingetretene Schweigen zu überbrücken. Er weiß nicht recht, ob der Wirt wirklich ein böser Mann ist, dachte Judith. Solange er noch ein wenig betrunken ist, wird er es sich vormachen. Aber wenn er nüchtern wird, kommt das Wort „Flittchen" wieder.

Er wird erraten können, was es bedeutet. Wie heißt „Flittchen" auf schwedisch? Wie heißt es auf englisch? Wenn ich wüßte, was „Flittchen" auf schwedisch oder englisch heißt, könnte ich ihn fragen, ob er mich für ein Flittchen hält. So muß ich ihn denken lassen, daß ich eines bin. Ein Mädchen, das mit einem wildfremden Mann auf ein Schiff geht, weil er ihm Whisky angeboten hat, ist ein Flittchen.

Der Wirt ist so gemein geworden, weil er scharf ist auf mich, erklärte sie. Himmel, dachte sie fast staunend, das ist eine Erklärung wie von einer Hafendirne, die mit dem Sieger in einer Schlägerei weggeht. Wie schnell man in etwas hineingerät! Gestern noch mit Mama in unserer Hamburger Villa, das Frühstücksporzellan und die späten Georginen, und heute schon die Sprache einer Dirne. Der Schwede schien im Freien sofort nüchterner geworden zu sein. Er ging ohne zu schwanken, ordentlich und schweigsam neben ihr her und geleitete sie sorgsam über die Gangway auf das Deck.

Sie drehte sich um und fragte: Sind Sie der Kapitän?

Nein, sagte er, ohne zu lachen, ich bin der Steuermann. Er führte sie in eine Kajüte, die braun getäfelt war, mit altem, blind gewordenem Mahagoniholz getäfelt.

Das ist die Kapitänsmesse, erklärte er. Er lud sie ein, an dem mächtigen braunen Tisch Platz zu nehmen, der fast den ganzen Raum ausfüllte.

Auf einmal spürte Judith seine Verlegenheit. Er ist ja ganz verlegen, dachte sie, verlegen und nüchtern. Er ist ein ordentlicher junger Steuermann, und ich habe ihn in Verlegenheit gebracht, als ich seine Einladung annahm. Er hatte sich oben, an Deck, an zwei Leuten von der Mannschaft vorbeigedrückt.*

Ich will den Whisky holen, sagte er. Er ist da drin. Er deutete auf einen Schrank, der in einer Ecke stand. Der Koch hat den Schlüssel.

Er ging hinaus. Während Judith wartete, dachte sie an sein

anständiges Gesicht.   Sein anständiges, unreifes Gesicht.   Er kam zurück.   Der Koch hat den Schlüssel nicht, sagte er, der Kapitän hat ihn eingesteckt.   Und der ist an Land gegangen.

Er zog einen Schlüsselbund heraus und versuchte einige der kleinen Schlüssel, die daran hingen.   Es ist zwecklos, dachte Judith, der Schrank hat ein Sicherheitsschloß.   Sie beobachtete den jungen Mann, der dunkelrot wurde.   Sie sah ihm mit grausamer Aufmerksamkeit zu.   Er schüttelte den Kopf und ging wieder hinaus.   Judith saß ganz still in dem kleinen, braunen, trüb erleuchteten Raum.   Manchmal war das Schwappen des Wassers* an der Bordwand zu vernehmen, das Zischen einer Bö, die an dem Schiff riß.   Nach einer Weile sah Judith auf ihre Armbanduhr; es mußte schon eine Viertelstunde vergangen sein, seit sie hier saß.   Es ist ganz klar, dachte sie, er will mich los sein. Ich soll gehen.   Er hat auf einmal Angst vor seinem Mut bekommen, Angst vor seinem Kneipenmut, vor seinem Kneipenverlangen,* er hat gar nicht damit gerechnet, daß es so leicht sein würde, aber es war leicht, ich war ein leichtes Mädchen,* und nun ist ihm die Sache peinlich, er ist in Wirklichkeit ein ordentlicher junger Mann aus einer ordentlichen Familie.   Und die Sache mit dem Schrank ist ihm peinlich, er hat sich vor mir blamiert, er kommt nicht wieder, er wartet jetzt irgendwo, daß ich begreife und gehe.   Was würde Mama jetzt tun, an meiner Stelle, fragte sie sich, aber sie fand keine Antwort.   Es gab Situationen, für die Mama nicht zuständig war, obwohl Mama so sicher und damenhaft gewesen war, aber sie war auch romantisch gewesen, sie hatte Judith nach Rerik geschickt, aber Rerik war nicht romantisch, man wurde hier erwachsen, man wurde hier ein zu schnell erwachsenes leichtes Mädchen, das grausam beobachten konnte und dennoch hilflos war, es war ein zu rascher Sprung gewesen, von der Georginenvilla, von der feinen, vergifteten Selbstmordvilla in die Härte einer Mädchenherumtreiberei,* einer Flittchenflucht.

Er kam noch immer nicht, während sie verzweifelt nachdachte, aber nach einer Weile hörte sie vor der Türe zwei Stimmen längere Zeit miteinander flüstern, Polizei, dachte sie angstvoll, aber dann war es schließlich doch der Steuermann, der hereinkam. Er kam in einer aufsässigen, unverschämten Haltung herein, eine Flasche in der Hand.

Der Koch hat nur das, sagte er grob. Er stellte die Flasche auf den Tisch und ein Glas dazu. Er hatte sich offensichtlich dazu entschlossen, Judith verachtlich zu behandeln. Er entschuldigt sich nicht einmal, dachte sie. Sie wurde auf einmal wieder, was sie war: eine junge Dame aus einer Hamburger Villa.

Sie haben mich lange warten lassen, sagte sie.

Er begriff augenblicklich. Statt einer Antwort sagte er: Sie müssen dann gehen. Wenn der Kapitän kommt ... Seine Stimme klang klein, er gab auf, Not war in seiner Stimme.

Trinken Sie nichts? fragte Judith. Es gab nichts mehr zu sagen; sie konnte Konversation machen.

Er schüttelte den Kopf. Er goß das Glas voll. Judith nippte daran. Es war Limonade.

Der Kapitän nimmt immer den Schlüssel mit, sagte er beklommen.

Judith brach plötzlich in ein Gelächter aus. Sie prustete förmlich ihr Lachen heraus.* Der Kapitän hatte die Schlüssel in der Tasche, die Schlüssel zu ihrer Flucht vor dem Tode. Aber der Kapitän war an Land gegangen. Ihr Lachen stieg auf wie die Kohlensäurebläschen in der grünen Flasche vor ihr. Sie las das Etikett. „Apotekarnas Sockerdricka"* stand darauf. Apotekarnas Sockerdricka, Apotekarnas Sockerdricka lachte sie, sie lachte es hell hinaus, sie jubelte es beinahe, und auf einmal merkte sie, daß sie es weinte, und schluchzend stand sie auf und ging an dem Steuermann vorbei, an dem anständigen, unreifen, verständnislosen, peinlich berührten Gesicht vorbei und verließ die Kajüte.

DER JUNGE

Er kam unbemerkt in die alte Gerberei an der Treene rein. In der Dunkelheit tappte er vorsichtig die Stiegen hoch. Er konnte den Staub riechen, der im Haus lag, auf den Treppen und in den Räumen, deren Türen lose in den Angeln hingen oder herausgebrochen waren. Auf dem Speicher oben hing graues Licht, es kam durch ein großes Fenster, dessen Scheiben fehlten, und durch die Lücken im Dach, an den Stellen, wo die Dachpfannen vom Lattenrost geglitten waren. Es war noch gerade soviel Licht, daß der Junge alles sehen konnte, aber selbst wenn es ganz dunkel gewesen wäre, hätte er sich zurechtgefunden, denn er kannte den Speicher wie seine Hosentasche. In der einen Ecke, über der das Dach noch heil war, hatte er sich sein Versteck gebaut, einen Verhau aus Kisten und dahinter ein Lager aus Stroh und Säcken, mit einer alten Decke darüber, auf dem er liegen und in Ruhe lesen konnte, sogar bei Nacht; er hatte es ausprobiert, daß man das Licht einer Kerze oder Taschenlampe von draußen nicht sehen konnte, so gut hatte er sich verbarrikadiert. Es kam nie jemand auf den Speicher, die alte Gerberei stand seit Jahren zum Verkauf, aber niemand interessierte sich dafür, und der Junge lebte seit dem Frühjahr hier oben, in jeder Stunde, die er von zuhause weg konnte.

Er ging in sein Versteck, legte sich hin, kramte eine Kerze hervor* und zündete sie an. Dann zog er den „Huckleberry Finn" aus der Tasche und begann zu lesen. Nach einer Weile hörte er damit auf und dachte darüber nach, was er im Winter machen sollte, wenn es auf dem Speicher zu kalt sein würde. Ich muß mir einen Schlafsack besorgen, dachte er, aber auf einmal wußte er, daß er bald nicht mehr hier heraufkommen würde. Er hob das Brett hoch, unter dem er seine Bücher versteckt hatte, da lagen sie, und zum erstenmal betrachtete er sie mit einem Gefühl des Mißtrauens. Er hatte den Tom Sawyer und die Schatzinsel* und den Moby Dick und Kapitän Scotts letzte Fahrt und Oliver Twist und ein paar Karl-May-Bände* und er dachte: die Bücher sind prima, aber sie stimmen alle nicht mehr, so, wie es in den Büchern zugeht, so geht es heute nicht mehr zu, in den Büchern wird erzählt, wie Huck Finn einfach wegläuft und wie Ismael angeheuert wird,* ohne daß er das geringste Papier besitzt, heutzutage ist das ganz ausgeschlossen, man muß Papiere haben und Einwilligungen, und wenn man weglaufen würde, wäre man sehr schnell wieder eingefangen. Aber, dachte er, man muß doch hinaus können, es ist doch unerträglich, daß man Jahre warten soll, um etwas zu sehen zu kriegen, und selbst dann ist es noch ungewiß. Er zog eine seiner Landkarten hervor und breitete sie aus, er hatte den Indischen Ozean erwischt* und er las die Namen Bengalen* und Chittagong* und Kap Comorin* und Sansibar* und er dachte, wozu bin ich auf der Welt, wenn ich nicht Sansibar zu sehen bekomme und Kap Comorin und den Mississippi und Nantucket* und den Südpol. Und zugleich wußte er, daß er mit den Büchern zu Ende war, weil er erkannt hatte, daß man Papiere brauchte; er legte die Bücher und die Landkarten wieder unter das Brett und machte das Brett wieder fest und dann löschte er die Kerze und stand auf. Er spürte, daß der Speicher nichts mehr für ihn war, er war nur ein Versteck, und ein Versteck war zu wenig, was man brauchte, das war ein Mississippi. Sich verstecken hatte keinen Sinn, nur Abhauen hatte einen Sinn, aber dazu gab es keine Möglichkeit. Er war bald sechzehn Jahre alt und er hatte begriffen, daß er mit dem Speicher und mit den Büchern zu Ende war.

Der Junge ging zum Fenster, von dem aus man die ganze Stadt überblicken konnte, er sah auf die Türme im Flutlicht und auf die Ostsee, die eine dunkle Wand ohne Tür war. Auf einmal fiel ihm der dritte Grund ein. Während er auf Rerik blickte, dachte er Sansibar, Herrgott nochmal,* dachte er, Sansibar und Bengalen und Mississippi und Südpol. Man mußte Rerik verlassen, erstens, weil in Rerik nichts los war, zweitens, weil Rerik seinen Vater getötet hatte, und drittens, weil es Sansibar gab, Sansibar in der Ferne, Sansibar hinter der offenen See, Sansibar oder den letzten Grund.

GREGOR · KNUDSEN

Ich muß noch mein Gepäck vom Bahnhof holen, sagte
Gregor zu dem Wirt, der immer noch an seinem Tisch stand,
nachdem Judith mit dem Steuermann der „Kristina" hinausge-
gangen war. Der Wirt nickte nur finster und ging hinter die
Theke zurück. Die Schweden hatten sich wieder an ihren Tisch
gesetzt und soffen schweigend und bösartig weiter. Der
Kneipier* hat jetzt nur noch die Chance, daß sie sich vollsaufen
lassen, dachte Gregor. Sie müssen so sternhagelvoll sein, daß
sie nur noch kriechen können,—wenn sie früher aufhören,
schlagen sie ihm die Bude zusammen.*

Er stand auf und tastete unruhig nach den Fahrradklammern
in seiner Hosentasche, besann sich aber rechtzeitig und ließ sie, wo
sie waren. Der Wirt wäre erstaunt gewesen, wenn er gemerkt
hätte, daß sein Gast mit dem Fahrrad reiste, nachdem er vom
Gepäck auf dem Bahnhof geredet hatte. Man darf keine
Gewohnheiten annehmen, dachte Gregor, Gewohnheiten ver-
raten. Er hatte sich diesen Griff nach den Fahrradklammern
während seiner Instrukteurreisen angewöhnt; wenn er nach den
Spangen griff, um die Hosen über den Fußgelenken zu schließen,
fühlte er sich sicherer, so, als klappe er ein Visier herunter;
vielleicht war diese Bewegung das einzige Notsignal, das er gab,
er hatte es sich schon ein paarmal eingestanden und er beschloß
nun, die Klammern nur noch zu tragen, wenn er sie wirklich
brauchte.

Er bezahlte sein Abendessen an der Theke, bevor er die
Gaststube verließ. Ich stell' den Koffer von der Nutte* raus, bis
Sie kommen, sagte der Wirt.

Die ist keine Nutte, erwiderte Gregor. Die ist nur so ein
Stadtmädchen, das was erleben will. Geben Sie mir ein anderes

Zimmer, fügte er hinzu, die kommt bestimmt bald wieder, und
dann muß sie ja irgendwo unterkommen.

Nicht bei mir, sagte der Wirt wütend.

Gregor zuckte mit den Achseln und ging hinaus. Er wußte,
daß die Medizin, die er dem Wirt gegeben hatte,* eine Weile
wirken würde. Es war notwendig, dem Mädchen Zeit zu
verschaffen,—einen kleinen Vorsprung, ehe der Wirt die Polizei
auf sie hetzte. Der würde nun noch eine Zeitlang warten, weil
er, wie Gregor bemerkt hatte, scharf auf das Mädchen war, und
dann war es zu spät in der Nacht, um noch irgendeinen verschla-
fenen Hafenpolizisten zu irgend etwas zu bewegen. Der Wirt
würde mit seiner Anzeige warten müssen bis morgen früh, wenn
das Mädchen die Nacht über ausgeblieben war und der Koffer
noch oben im Zimmer stand.

Bis die Schweden hinaustorkelten,—und bis dahin konnte es
ein Uhr, zwei Uhr werden—, war der Wirt kaltgestellt. Erst
darnach wird er sich klarmachen, daß auch ich nicht zurückgekommen bin, dachte Gregor. Er wird eine Wut im Bauch
haben* und es morgen früh nicht erwarten können,* zur Polizei
zu gehen. Aber bis dahin . . . Bis dahin mußte die Aktion den
Scheitelpunkt ihrer Kurve* erreicht haben. Die Aktion
„Lesender Klosterschüler". Oder war es jetzt die Aktion
„Jüdisches Mädchen"? Jedenfalls wird es meine Aktion sein,
dachte Gregor arrogant. Zum erstenmal leite ich keine Par-
teiaktion. Es ist eine Sache, die nur mir gehört. Er fühlte sich
glänzend aufgelegt. Das wunderbare Gefühl, das ihn befallen
hatte, seitdem er den jungen Mönch, seinen Genossen, den freien
Leser, gesehen hatte, verließ ihn nicht. Und nun war auch noch
ein Mädchen mit ins Spiel gekommen, ein ziemlich schönes
Mädchen mit langen schwarzen Haaren. Sowie man die Partei
im Stich läßt, gibt es wieder Romantik, dachte Gregor. Eiskalte
Aktion gegen die Anderen, aber doch Romantik. Ein kalter
Romantiker, ein Aktionsspieler, würde er mit seinen Figuren

über ein Feld* aus roten Türmen und nachtblauer See ziehen,
über ein Feld aus Windschwarz und Verratsgold, über ein
Schachbrett aus tarasovkastaubigen und rerikroten Feldern
würde er seine Figuren ziehen: den Genossen Klosterschüler und
das jüdische Mädchen, den einbeinigen Pfarrer und Knudsen, den
Fischer mit der irren Frau.

Knudsen sah ihn aus dem „Wappen von Wismar" herauskommen; er sah, daß der junge graue Instrukteur einen Augenblick stehenblieb und zu ihm, Knudsen, hinübersah. Na, komm
schon, dachte Knudsen, mach zu, du siehst ja, daß ich dageblieben
bin. Er war vor einer halben Stunde auf die „Pauline" zurückgekehrt, nachdem er noch einmal zu Hause gewesen war und
gewartet hatte, bis Bertha eingeschlafen war. Er hatte in der
Küche gesessen und nach einer Weile hatte er die Türe zum
Schlafzimmer geöffnet und nachgesehen, ob Bertha schlief; ein
Balken Licht aus dem geöffneten Türspalt war auf sie gefallen
und zeigte ihm, daß sie schlief; ihr blondes Haar hatte sich
aufgelöst und war auf ihre nackte linke Schulter hinabgeglitten,
und ein paar Strähnen lagen über ihrem Gesicht, das jetzt,
endlich, nicht mehr irr lächelte, sondern einen ernsten Ausdruck
angenommen hatte, einen ernsten, verschlossenen Ausdruck, den
aufzubrechen und zu verwandeln sich lohnte.* Knudsen hätte
sich gerne zu ihr gelegt und die Liebe mit ihr gemacht; sie liebten
sich immer noch und sie machten oft die Liebe miteinander,
lang und intensiv, mit langen, treibenden Gesprächen, in denen
er den Irrsinn von ihr fernhielt und alles auf die Lust konzen-
trierte; aber er schloß die Türe, löschte das Licht in der Küche
und ging hinaus. Wie wird es weitergehen mit Bertha und mir,
dachte Knudsen, während er zu seinem Boot zurücktrottete,
wenn ich von dieser Fahrt zurückkomme? Nur noch diese Fahrt,
dann wird es die Partei nicht mehr geben. Nicht mehr für
mich. Dann wird es nur noch die Fische geben, das Boot und
die See. Ob mir die Liebe dann noch Spaß machen wird? Ist

das überhaupt der Grund, warum ich gewartet habe, warum ich nicht ausgefahren bin, fragte sich Knudsen, während er den Mann, der sich Gregor nannte, auf das Boot zukommen sah. Wollte ich den Abschied von der Partei ein wenig hinauszögern, um die Lust am Leben noch eine kurze Spanne Zeit zu behalten?

Gregor sah ihn auf dem Deck des Bootes sitzen, einen schwarzen, ungenau umrissenen Block von einem Mann vor der etwas helleren Schwärze der Nacht, die Gregor mit harten Windböen zum Kai hinstieß.

Zwischen dem Leuchtfeuer auf der Lotseninsel und dem Hafen sah man keine Bootslaternen mehr schimmern. Die Boote, die noch nicht zurückgekommen waren, blieben die Nacht über draußen. Auf dem Kai waren nur noch ein paar Fischer zu sehen; sie hatten ihre Ladung gelöscht und würden bald nach Hause gehen; in ein paar Minuten vielleicht schon würde der Hafen verlassen daliegen, verlassen und in tiefem Dunkel—die Bogenlampen würden ausgeschaltet werden. Knudsens Boot wurde von ihrem Licht ohnedies nicht erreicht; es lag schwappend im Dunkeln, auch wenn es von dem diffusen Lichtschleier, der um den genauen Kreis des Scheins der Bogenlampen gewoben war, wie mit Grünspan überzogen wurde. Gregor mied das Lampenlicht nicht; er ging geraden Wegs über den hellen Kreis hinweg auf Knudsens Boot zu. Mit einem Sprung setzte er auf die Planken hinüber.

Gut, daß du gewartet hast, Genosse, sagte er zu Knudsen. Knudsen sog an seiner Pfeife. Schit,* daß ich gewartet habe, sagte er.

Wie werden wir es machen? fragte Gregor.

Paß auf, sagte Knudsen, ich fahre jetzt los. Und wir werden uns nach Mitternacht auf der Lotseninsel treffen.

Ah,—und wie komme ich da hin?

Du gehst auf der Chaussee nach Doberan* aus der Stadt raus, erklärte Knudsen. Hast du eine Karte?

Ja, sagte Gregor. Aber ich weiß auch so, wo die Chaussee nach Doberan rausgeht.

Gut. Du gehst auf der Chaussee zwanzig Minuten lang bis zur Genossenschafts-Molkerei. Dahinter führt ein Fußweg nach rechts ab, auf dem bist du in zehn Minuten am Wasser. Da leg' ich mein Beiboot hin.

Wie kriegst du es dahin? fragte Gregor.

Von draußen, vom Haff* aus. Der Junge wird es zu der angegebenen Stelle rudern und euch dort erwarten.

Ist er zuverlässig?

Keine Ahnung, sagte Knudsen. Ich weiß nicht, was diese Jungens heutzutage denken. Aber ich bin der Schiffer und er ist der Junge. Er hat keine Fragen zu stellen.

Er hat Fragen zu stellen, dachte Gregor heftig. Und er wird sie eines Tages stellen. Aber laut sagte er: Na schön, und dann?

Ihr werdet das Beiboot zusammen über das Haff zur Lotseninsel bringen. Kannst du rudern?

Gregor nickte.

Zu zweit geht es schneller, als wenn nur einer rudert, sagte Knudsen. Ihr werdet dreiviertel Stunden brauchen. Das Beiboot laßt ihr auf der Haffseite liegen,—ich hol' es mir bei der Rückfahrt ab.

Du fährst also mit dem großen Boot aus dem Haff raus und erwartest uns auf der anderen Seite der Insel?

Genau, sagte Knudsen. Ich fahre ganz ordentlich am Leuchtturm vorbei und dann drehe ich nach links ab und fahre vorsichtig an die Küste ran.

Wie finde ich den Punkt, wo du wartest?

Knudsen wandte sich um und sah zum Leuchtfeuer hinaus. Gregor folgte seinem Blick.

Kannst du sehen, daß das Licht erst ziemlich weit links auf die Insel trifft? fragte Knudsen.

Ja, erwiderte Gregor. Du meinst, wir müssen in dem toten

Winkel* zwischen dem Turm und dem Punkt, wo der Lichtstrahl auftrifft, die Insel überqueren?

Richtig.   Auf der Insel ist ein Wäldchen.   Ich werde mit dem
Boot auf der Höhe des linken Waldrandes* liegen, da seid ihr
auch noch durch die Bäume gegen die Sicht vom Turm gedeckt.

Das hast du gut geplant, Genosse, sagte Gregor.

Laß den Genossen weg! Knudsen knurrte es beinahe.

Vom Mast her, an den er sich gelehnt hatte, sagte Gregor
zu dem immer noch auf seiner Kiste sitzenden Knudsen: Laß
uns doch so tun, als täten wir es für die Partei!

Der Fischer nahm die Pfeife aus dem Mund und spie aus: Nö,*
sagte er, ich mach' mir nichts mehr vor.

Gregor überlegte, ob er das Thema weiterspinnen sollte.   Es
wäre besser, dachte er, jetzt nichts mehr zu fragen, nichts mehr
zu reden.   Die Aktion war eine Sache geworden, in der jeder
Beteiligte nur noch für sich selbst handelte.   Trotzdem konnte
er nicht an sich halten.

Warum tust du dann überhaupt mit? fragte er.

Knudsen dachte: Weil ich kein toter Fisch sein will.   Weil ich
die Lust an der Liebe behalten will.   Weil es sonst stinklangweilig* wird.   Aber er sagte nichts dergleichen.   Er sagte
vielmehr: Wie stehe ich denn vor dem Pfarrer da, wenn ich
nicht mitmache? Im gleichen Augenblick wußte er, daß er eine
Art Wahrheit ausgesprochen hatte. Der und sein Götze, fügte er
erbittert hinzu.   Aber wenn niemand sonst da ist, der ihm
seinen Götzen rettet, muß ich es tun.

Gregor nickte.   Er nahm diese Erklärung an, obwohl er
wußte, daß mit ihr nicht alles erklärt war, längst nicht alles.
Und nun war nur noch der Punkt zu behandeln, der zwischen
ihm selbst und Knudsen als Trennungszeichen* stand.   Das
heiße Eisen.   Er faßte es nicht sogleich an, sondern fragte erst
noch: Sag mal, wie ist das mit der Bootsfahrt über das Haff,—
kann das eigentlich gefährlich werden?

Wenn er vermutet hatte, daß der Fischer bei dieser Frage verächtlich grinsen würde, so hatte er sich getäuscht. Es gibt ein Patrouillenboot der Zollpolizei, sagte Knudsen sachlich. Sie haben einen ziemlich starken Scheinwerfer. Wenn sie heute nicht auslaufen, haben wir Glück gehabt. Und wenn sie auslaufen und euch nicht sehen, haben wir noch mehr Glück gehabt. Übrigens können sie euch nicht auf dem Wasser stellen, weil sie mit ihrem Boot in der Fahrrinne bleiben müssen; dort, wo ihr rudert, ist es zu flach für sie. Aber sie würden natürlich zur Insel fahren und euch dort schnappen, wenn ihr auf Signale nicht antwortet.

Das hört sich ziemlich unschön an, sagte Gregor. Ich denke an den Jungen. Gefährden wir ihn nicht zu sehr? Er hat doch schließlich mit der ganzen Sache nichts zu tun.

Das Beiboot spielt die Hauptrolle, sagte Knudsen, deswegen brauchen wir den Jungen dazu. Haben wir schon jemals auf jemanden Rücksicht genommen, wenn wir etwas vorhatten? fragte er. Es geht gegen die Anderen, gab er sich selbst die Antwort, da gibt es keine Rücksicht. Er wird auch keine Rücksicht auf mich nehmen, dachte Gregor. Und dann sprach er das Finstere an,* das zwischen ihnen stand, Knudsens Abneigung gegen ihn, Knudsens Haß gegen ihn als Verräter, die Antipathie zwischen zwei Abtrünnigen, die sich gegenseitig auf der Fahnenflucht ertappt hatten, das gemeinsame schlechte Gewissen, das sie trennte.

Und wie komme ich wieder zurück von der Insel? fragte er. Mit dem Beiboot?

Knudsen stand auf. Zum zweitenmal während ihrer Unterhaltung nahm er die Pfeife aus dem Mund.

Nö, sagte er, das Beiboot muß ich bei mir haben, wenn ich zurückkomme. Das muß da liegenbleiben, wo es liegt. Die Lotseninsel ist keine richtige Insel, erklärte er, sie ist bloß eine lange Halbinsel. Du kannst zu Fuß zurückgehen.

Die Härte, mit der Knudsen diesen letzten Satz aussprach, vernichtete den letzten Rest einer Hoffnung, die Gregor vielleicht noch nicht ganz in sich ausgelöscht hatte.

Habe ich immer noch, dachte er, bis zu diesem Augenblick, angenommen, Knudsen würde sagen: Du kannst mitkommen? Es wäre eine Kleinigkeit für ihn, mich mitzunehmen; es würde das Risiko für ihn weder vergrößern noch vermindern. Aber er verweigert mir die Hilfe, weil er den Schritt nicht tun will, den Schritt vom gedachten Abfall zum getanen, von der Aufgabe zum Verrat.* Er hat die Fahne heruntergeholt, aber er hat sie sorgfältig zusammengefaltet und in seinen Schrank gelegt, anstatt vor ihr zu fliehen. Überwintern will er mit ihr, weil er nicht weiß, daß Flaggen, die man gestrichen* hat, nie wieder so flattern werden wie ehedem. Natürlich gibt es Fahnen, die nach einer Niederlage glorreich wiederauferstehen. Aber es gibt keine Fahnen, die man in Schränke legen und wieder hervorholen kann. Deswegen werden die Fahnen, die man hissen wird, wenn die Anderen einmal nicht mehr herrschen werden, keine glorreichen Banner sein, sondern gefärbte Leinwandstücke, die man wieder erlaubt hat. Wir werden in einer Welt leben, dachte Gregor, in der alle Fahnen gestorben sein werden. Irgendwann später, sehr lange Zeit darnach, wird es vielleicht neue Fahnen geben, echte Fahnen, aber ich bin mir nicht sicher, dachte er, ob es nicht besser wäre, wenn es überhaupt keine mehr gäbe. Kann man in einer Welt leben, in der die Flaggenmasten leer stehen?

Ich werde diese Frage später entscheiden, dachte Gregor, jetzt muß ich mich erst einmal mit der Tatsache abfinden, daß ich von hier nicht wegkomme. Er beobachtete Knudsen, der nun begann, ungeduldig zu werden, der ihn offensichtlich los werden wollte. Knudsen konnte ihn, Gregor, nicht leiden, das war klar; für Knudsen bin ich der Mann vom ZK, der sich drücken will, während er der einfache Genosse ist, der sich nicht drücken kann.

Knudsen konnte sich nicht drücken, vielleicht mußte er bei der Frau bleiben, die irrsinnig war, wie der Pfarrer erzählt hatte, vielleicht konnte er sich nur einfach nicht vorstellen, was er nach seiner Flucht tun sollte, wie das Leben eines Mannes verlaufen sollte, der kein Boot mehr hatte. Was immer auch die Gründe waren, die Knudsen davon abhielten, zum Komplizen seines Verrats zu werden,—sie mußten sich gegen Gregor richten, gegen eine Hilfe bei Gregors Flucht, gegen die Teilnahme am Schicksal eines Mannes, der eine Flucht nur für sich selbst plante, der arrogant eingestanden hatte, daß er sich nicht mehr gebunden fühlte, der frei für sich allein sein wollte, der praktisch schon frei war. Gregor wußte jetzt, daß Knudsen zurückkehren mußte, denn Knudsen wollte gar nicht frei sein,—er wollte resignieren, still werden, sitzen und schweigen, aber nicht wie der Genosse Klosterschüler. Der saß und las schweigend, aber nur, um eines Tages aufzustehen und fortzugehen. Dafür war Knudsen zu alt. Nein, nicht zu alt. Man war niemals zu alt, um etwas Entscheidendes zu tun. Außer, wenn irgend etwas in einem kaputt gegangen war. Knudsen war ein harter Mann. Knudsen war ein gebrochener Mann. Gregor fragte: Warum machen wir denn die Geschichte mit dem Boot, wenn man auch zu Fuß dorthin kommen kann, wo du mich erwartest? Dann brauchen wir doch den Jungen nicht aufs Spiel zu setzen.

Er bettelt mich wenigstens nicht weiter an, ihn mitzunehmen, dachte Knudsen. Zu Fuß brauchst du eine Stunde länger, sagte er, und du würdest den Weg in der Nacht nicht finden. Es sind Wasserläufe dazwischen, aber die seichten Stellen kann man nur bei Tag erkennen. Und ich muß mit dem Boot weg sein, so lange es noch dunkel ist.

Gregor nickte. Er überlegte, ob er Knudsen noch das Letzte sagen solle: Ich bringe jemand mit. Ein Mädchen. Ein jüdisches Mädchen. Du mußt es auch noch mit hinüber nehmen. Aber er wußte nicht, wie Knudsen darauf reagieren würde. Es war möglich, daß er nichts weiter sagte als: Geht in Ordnung.* Es konnte sein, daß die Rettung eines Mädchens ihn zu einem Gefühl bewegen würde, wie es die Rettung jenes Dings, das er einen Götzen nannte, nicht hervorrief. Aber es war auch möglich, daß er explodierte, daß der Auftritt einer neuen Figur zu viel für ihn wurde, daß die Aktion, auf die er sich nur widerwillig eingelassen hatte, dadurch für ihn zu kompliziert wurde, zu gefahrvoll und nicht mehr zu durchschauen. Und wenn Gregor es ihm jetzt sagte, gab er Knudsen die Möglichkeit, die ganze Sache noch im letzten Moment hinzuschmeißen. Das Risiko, daß Knudsen absprang, wenn man noch mehr von ihm verlangte, war zu groß. Er mußte es riskieren, Knudsen vor eine vollendete Tatsache zu stellen.* Gregor wandte sich ab und trat wieder auf den festen Boden des Kais hinauf. Also dann bis nachher, sagte er zu Knudsen, der ihm keine Antwort gab. Er ging am Rand der Kaimauer entlang davon; diesmal achtete er darauf, daß er nicht in die hellen, runden Kreise des Bogenlampenlichtes geriet.

Knudsen steckte die Pfeife in die Tasche und öffnete die Luke zu dem Raum, in dem der Motor stand. Er stieg hinab und prüfte die Füllung des Treiböltanks und der Batterie nach. Als er wieder nach oben kam, sah er den Jungen über den Kai heranschlendern. Mach fix, sagte er zu ihm, als der Junge heran war, wir fahren. Wird ja auch langsam Zeit, Käpten, antwortete der Junge. Er legte in das Wort „Käpten" so viel gemachte Sympathie, daß die Frechheit beinahe ehrerbietig klang.

Sie machten das Tau los und manövrierten die „Pauline" vom Kai weg. Dann ging Knudsen ins Steuerhaus, ließ den Motor an und schaltete die Laternen ein. Der Motor spuckte erst ein paarmal, kam dann langsam auf Touren und mäßigte sich schließlich zu dem sanft dahinstampfenden Putputput seiner gewöhnlichen Umdrehungszahl; Gregor hörte es vom Hafenplatz aus, es schallte hohl in der Stille und brach sich an den

Häuserwänden und entfernte sich nur ganz langsam; es wäre das
einzige Geräusch gewesen, wenn nicht manchmal die Windböen
aus den Straßen heraus gepfiffen hätten, schrille Alarmpfeifen-
pfiffe, die in einem wilden Johlen über der offenen See verendeten.

Knudsen hörte die Pfiffe nur schwach, aber er spürte die
Stöße der Böen und dachte: sie werden es schwer haben mit dem
Rudern heute nacht, der Junge und dieser Kerl vom ZK. Der
Junge verschwand gerade in der Luke zum Motorraum. Knud-
sen wandte sich um und blickte nach Rerik zurück.

In diesem Augenblick erloschen die Bogenlampen auf dem
Kai. Der Hafen von Rerik war einen Augenblick völlig
schwarz. Über dem Schwarz standen in der gleichen Sekunde
die Türme wie Monstren, völlig nackt, in blendender roter Grelle,
von Blut überströmte Riesen, die sich im Todeskampf noch
einmal aufgerichtet hatten, um sich auf die Stadt zu stürzen, auf
die Schwärze zu ihren Füßen. Aber im nächsten Augenblick
mußte die Hand auf der Schalttafel des Elektrizitätswerkes von
Rerik weiter gegriffen und das Flutlicht gelöscht haben, denn auf
einmal waren die Riesen nicht mehr da, in der Kürze eines
Lidschlags waren sie erloschen, in der Erinnerung waren sie
nicht mehr als ein roter Blitz, dem ein langhinrollender Donner
aus Dunkelheit folgte.

Knudsen sah auf seine Uhr: sie zeigte auf elf.

DER JUNGE

Einen Passagier soll ich an Bord holen, dachte der Junge, einen Passagier, der nicht gesehen werden darf, sonst ließe ihn der Schiffer nicht heimlich nachts übers Haff holen. Es geht etwas vor, dachte er aufgeregt, zum erstenmal geht etwas vor. Deshalb also ist Knudsen so lange im Hafen liegen geblieben—er hat auf einen Passagier gewartet. Der Junge prüfte die Anschlüsse der Verteilerkappen nach und dann stieg er wieder nach oben und blickte auf Knudsen, der im Steuerhaus stand. Ob ich ihn frage, überlegte er, was es zu bedeuten hat, daß er einen Passagier an Bord nimmt. Aber er hatte Knudsen noch nie irgend etwas gefragt, und obwohl er fühlte, daß Knudsen ihm vielleicht eine Antwort geben würde, fragte er ihn nicht. Knudsen sah so mürrisch aus wie immer, aber der Junge spürte, daß etwas vorging, und daß Knudsen zum erstenmal auf ihn angewiesen war. Jetzt gerade frag' ich ihn nicht, dachte der Junge. Aber er war riesig gespannt.

HELANDER

Er fühlte sich erleichtert, nachdem Doktor Frerking gegangen war. Plötzlich hatte er sich entschlossen, den Arzt doch noch heute kommen zu lassen; er hatte sich eingeredet, heute noch Gewißheit haben zu wollen, und Frerking hatte sie ihm gegeben: die Gewißheit der Gefahr. Über den Beinstumpf gebeugt, hatte der Arzt gesagt: Sie müssen heute abend noch zu Professor Gebhard fahren, nach Rostock. Ich werde mit ihm telefonieren, daß er Ihr Bein sofort vornimmt.*
Operation? hatte Helander gefragt.
Operation kann man das nicht nennen. Er muß das wilde Fleisch um die Wundränder wegschneiden und es dann mit einem Insulinstoß* versuchen. Eine Operation ist ja bei Ihnen nicht mehr möglich.
Frerking hatte sich in einen Stuhl zurückfallen lassen. Sie hatten sich angesehen. Der Beinstumpf lag zwischen ihnen wie irgendein Stück fremdes Fleisch. Der viel zu kurze Beinstumpf. Das Bein war dem Pfarrer seinerzeit ganz knapp unter dem Becken abgeschnitten worden. Man konnte nicht noch einmal ein Stück davon absäbeln, um die Entzündung dann weiter oben zum Stillstand zu bringen. Man konnte nicht ins Leben hineinschneiden. Helander hatte schon die Frage auf der Zunge, wie Frerking die Aussichten einer Heilung beurteile, aber er unterließ sie. Der Arzt hatte „versuchen" gesagt, „versuchen" und „nicht mehr möglich". Es war alles klar. Frerking hätte höchstens eines seiner Medizinersprüchlein hergesagt. Hält er's aus, wird er gesund, hält er's nicht aus, geht er zugrund, oder etwas Ähnliches. Oder: es hängt alles vom Patienten ab. Doktor Frerking war ein guter Arzt—er konnte Zaubersprüche

so vorbringen, daß man sie ihm glaubte. Ein guter Pfarrer tat
nichts anderes.

Auf die Wahrheiten der Medizin und der Religion kam es
schon lange nicht mehr an; was man von den Ärzten und
Pfarrern hören wollte, waren Zaubersprüche, Beschwörungs-
formeln.

Ich werde Ihnen den Wagen vom städtischen Krankenhaus
schicken, hatte Frerking gesagt, Sie können nicht mit der Bahn
fahren.

Krankenwagen? Der Pfarrer war aus seinen Überlegungen
gerissen. Nein, nein, lassen Sie nur! Das würde zuviel Aufsehen
in der Stadt erregen. Ich werde mir ein Taxi bestellen.

Wie Sie wollen. Der Arzt hatte sich erhoben. Dann gehe
ich jetzt und telefoniere mit der Klinik in Rostock.

Helander hatte sich bedankt und er war mit dem Gehör den
Schritten Frerkings gefolgt, dem Geflüster, unten, mit der
Haushälterin, dem Klappen der Haustüre, der Abfahrt des Autos.
Eine Weile noch hatte er regungslos unter dem Licht der Stehlampe gesessen, ehe er begann, sich die Prothese wieder an-
zuschnallen und die Hose hochzuziehen. Zuletzt hatte er die
Krawatte gebunden und den dreiviertellangen schwarzen Rock
angezogen, der seinen Anzug zu einem geistlichen Gewand
machte.

Und dann hatte er die Erleichterung gespürt.

Noch heute abend nach Rostock, Gebhard muß das Bein
sofort vornehmen, das ist es, was ich von Frerking habe hören
wollen, dachte Helander. Die klare Verkündung der Todesge-
fahr habe ich gewollt, die Gewißheit, aber nicht nur sie, sondern
auch den Eingriff der höheren Gewalt. Darum habe ich die
Konsultation Frerkings nicht auf morgen verschoben, sondern
ihn bitten lassen, sogleich zu mir zu kommen. Übrigens:
morgen hätte ich keine Gelegenheit mehr gehabt, ihn zu kon-
sultieren. Die Nacht über hier bleiben, heißt: den „Kloster-

schüler" retten. Den „Klosterschüler" retten, heißt: morgen
früh abgeführt werden. In ein Konzentrationslager mit dem
Tod im Bein. Der Doktor hat das Problem für mich gelöst:
sofort nach Rostock, sofort Professor Gebhard, sofort das Sichklammern an einen Strohhalm.* Die höhere Gewalt hatte
entschieden: das Klinikbett statt des Martyriums. Helander
hatte Grund, sich erleichtert zu fühlen. Er erinnerte sich noch
genau an den Augenblick, in dem er seinen Entschluß, zuerst die
Sache mit der Figur zu erledigen, ehe er den Arzt um Hilfe bitten
würde, geändert hatte. Es geschah, als ich aus der Kirche
zurückkam, dachte der Pfarrer, nachdem ich mit Knudsen und
mit diesem jungen Mann, der sich Gregor nennt, gesprochen
hatte. Auf einmal hatte ich Angst. Es war so still im Pfarrhaus
gewesen, als er zurückgekehrt war. Und die Stille im Pfarrhaus
war nur ein Abbild der Stille in der Kirche, der Stille in der
ganzen Stadt gewesen. Es war zwar nicht stiller gewesen als
sonst auch in den letzten Jahren, aber noch nie hatte er die Stille
so unerträglich gefunden. Stille war übrigens das falsche
Wort. Irgendwo hatte er einmal gelesen, daß die Ingenieure
jetzt in der Lage waren, „schalltote" Räume* zu konstruieren.
Das war die richtige Bezeichnung. Die Stadt, die Kirche und
das Pfarrhaus waren zu einem schalltoten, echolosen Raum
geworden, seitdem die Anderen gesiegt hatten. Nein, nicht
seitdem die Anderen gekommen waren, sondern seitdem Gott
sich entfernt hatte. Der hohe Herr hält es nicht für nötig,
anwesend zu sein, dachte der Pfarrer höhnisch und erbittert.
Vielleicht hat er dringendere Geschäfte. Vielleicht liegt er
einfach auf der faulen Haut. Jedenfalls hat er uns in Rerik seit
Jahren nicht besucht. Nicht einmal ein paar Zeichen hat er auf
die Kirchenwand geschrieben, keine noch so geringfügige
Botschaft in unsichtbarer Tinte, nur für mich zu entziffern, auf
die rote Backsteinwand von Sankt Georgen.
    Morgen früh wird das Schweigen noch lähmender sein, dachte

Helander. Morgen früh werden auch noch die letzten Menschen gegangen sein: Gregor, Knudsen und mein kleiner Mönch aus Holz. Ich allein werde zurückgeblieben sein. Ich ganz allein werde in der Tinte sitzen. Es ist absurd, wegen einer kleinen leblosen Holzfigur so allein zu sein, wie ich morgen früh allein sein werde, morgen früh, wenn die Anderen kommen.

Er rekapitulierte seine Angst, während er im Telefonverzeichnis die Nummer des Taxiunternehmens heraussuchte. Drei, drei, neun. Ich muß auch noch dem Vikar Bescheid sagen,* überlegte er, es ist Freitag, und er muß sich sofort an die Sonntagspredigt machen. Und die Haushälterin muß den kleinen Koffer packen, etwas Wäsche und meine Toilettesachen. Man muß sich ja die Folgen genau überlegen, dachte er, wie stehe ich denn vor der Stadt da, wenn ich morgen früh wie ein gemeiner Verbrecher abgeführt werde, schließlich bin ich der Pfarrer Helander, der angesehenste Geistliche der Stadt, ein Mann, der für sein Vaterland gekämpft hat, die Leute würden gar nicht verstehen, was geschehen ist, und niemand würde es ihnen sagen—es wäre kein guter Abschluß für mich und für sie. Das Klinikbett würden sie verstehen, es würde sie sogar erschüttern, das Krankenzimmer in Rostock würde voller Herbstblumen aus den Gärten von Rerik sein.

Genau sein,* dachte der Pfarrer, was die Leute denken, ist mir eigentlich egal. Nicht ihretwegen habe ich den Arzt kommen lassen, die höhere Gewalt, die über meinen Körper befiehlt. Sondern der Folter und der Einsamkeit wegen. Denn die Folter wird kommen, und ich werde allein sein in ihr. Sie werden mich schlagen lassen, die Anderen, aus Rache und um in Erfahrung zu bringen, wo ich die Figur versteckt halte, und in der Folter wird die Wunde an meinem Beinstumpf aufbrechen, ich werde auch in den Stunden, in denen ich nicht geschlagen werde, vor Schmerzen wimmernd in einer Zelle liegen oder auf der Pritsche in irgendeiner Lagerbaracke, nichts mehr werde ich sein als ein stöhnendes Stück Fleisch, das man am Ende auf ein Bett schmeißen wird, um es verrecken zu lassen. Ein verreckender Körper, den vielleicht ein barmherziger Gefängnisarzt zuletzt in Morphium hüllt, so daß das Gehirn, das in diesem Körper lebte, nicht einmal mehr würde beten können. Nein, dachte Helander heftig und verzweifelt, das kann der kleine Schüler in meine Kirche nicht von mir verlangen, daß ich soviel für ihn tue.

Drei, drei, neun. Er mußte nach dem Taxi telefonieren. Er hatte Angst, aber er war dennoch bei klaren Sinnen und er hatte sich jetzt fest entschlossen, die Folter nicht auf sich zu nehmen. Weder Gott noch der Klosterschüler konnten von ihm verlangen, daß er seinen Körper den Peitschen oder Gummischläuchen* der Anderen aussetzte. Wie hatte er sich bisher den Sieg der Anderen erklärt? Sehr einfach—Gott war abwesend, er lebte in der größten überhaupt denkbaren Ferne, und die Welt war das Reich des Satans. Die Lehre des großen Kirchenmannes aus der Schweiz,* der Helander anhing, war so einfach wie überzeugend. Sie erklärte, warum Gott die Welt als einen schalltoten Raum konstruiert hatte. In einem solchen Raum konnte man Gebete nur für sich selbst sprechen, nur in die eigene Seele hineinflüstern. Keinesfalls durfte man sich einbilden, von Gott gehört zu werden. Man betete nur, weil man wußte, daß es Gott gab; er weilte zwar in unerreichbarer Ferne, aber es gab ihn, er war nicht etwa tot. Gänzlich sinnlos aber war es, Schreie auszustoßen, die Schreie eines Gefolterten. Natürlich hatte man dem Satan Widerstand zu leisten, man hatte zu predigen, aber nur, um die Leute darauf hinzuweisen, daß die Welt dem Teufel gehöre und daß Gott ferne sei. Es gab keinen Trost, und es machte die Größe dieser Lehre aus, daß sie keinen Trost gab. Aber sie machte auch das Martyrium sinnlos; welchen Sinn hatte es, sich foltern zu lassen und zu schreien, wenn Gott davon einfach keine Kenntnis nahm, wenn die Wände des schalltoten Raumes der Welt die Schreie glatt verschluckten?*

Merkwürdig, dachte Helander, daß die Aufrechtesten unter seinen Amtsbrüdern diejenigen waren, die der trostlosen Lehre anhingen. Die den Sinn des Martyriums leugneten, gerieten am leichtesten in Verfolgung und Folter. Sie hatten sich quälen zu lassen, nicht für die Nähe Gottes, sondern für seine Ferne; sie hatten zu sterben, weil sie das Reich der Anderen ohne jeden Kompromiß zum Reich des Bösen erklärten, wie die Lehre es vorschrieb. Sie starben trostlos einen absurden Tod; es gab für sie keine Gewißheit der Gnade.

Helander versank vor dem Telefonapparat auf seinem Schreibtisch ins Nachdenken. Nach einer Weile löschte er die Stehlampe aus und wartete, bis die Umrisse des Querschiffs der Georgenkirche vor seinem Fenster sichtbar wurden. Das Licht einer Straßenlaterne verlor sich auf der Backsteinwand; weiter oben schob sich die schwarze Masse vor ein Stück Himmel, in dem ein Stern zu sehen war. Seitdem der Pfarrer hier wohnte, hatte er nie die Vorhänge seines Arbeitszimmers zuzuziehen brauchen; er hatte kein anderes Gegenüber als die fensterlose, jahrhundertealte Wand, auf der nie ein anderes Zeichen erschien als die Spur des Regens oder der Sonne, des Tages oder der Nacht, die Sprache von Vogelrufen oder einer unter Mauern verschütteten Toccata.*

Da drinnen sitzt er und wartet jetzt, dachte Helander, mein kleiner Mönch, der das innerste Heiligtum meiner Kirche ist, weil die Anderen ihn holen wollen. Ihn wollen die Teufel holen, nicht das Christusbild auf dem Altar wollen sie haben, das Bild Gottes, sondern das Bild des jungen Lesers, des Gottesschülers.

Es ist unmöglich, ihn den Teufeln zu überlassen, dachte der Pfarrer. Es ist ebenso unmöglich, daß ich dieses Martyrium auf mich nehme. Er lachte beinahe, als er erkannte, wie genau sich in ihm Angst und Mut die Waage hielten. Die Schalen standen sich zitternd gegenüber.

Ich brauche nur den Telefonhörer abzunehmen und die Sache

ist entschieden, überlegte er. Drei, drei, neun, und der Satan hat ein Heiligtum in den Krallen. Was kümmerte es den abwesenden Gott, der vielleicht nur ein fauler Gott war? Der trieb sich vielleicht gerade auf dem Orion herum,* statt auf der Erde, oder wenn er auf der Erde war, dann kreuzte er vielleicht mit einer Yacht vor Honolulu,* statt sich auf Knudsens Boot niederzulassen und den kleinen Mönch aus Rerik zu retten.

Wenn er aber den Telefonhörer nicht abnahm, dann ... Plötzlich hielt der Pfarrer den Atem an. Er dachte: wenn ich den Telefonhörer nicht abnehme, dann ist Gott vielleicht gar nicht so fern, wie ich immer denke. Dann ist er vielleicht ganz nah?

Die Frage wischte vorbei wie ein Irrlicht. Danach brachte Pfarrer Helander die Bestandteile seines Denkens nicht mehr recht zusammen. Zwischen den Schmerzen in seinem Bein- stumpf und dem Überfall einer grau daherzischenden Müdigkeit tauchten nur noch Bruchstücke von Gedanken in ihm auf, deus absconditus* dachte er und das Reich des Satans, der hohe Herr und die Folter, die harte Lehre und die Mauer ohne Schritt, das Martyrium und das Klinikbett, das Klinikbett, das Klinikbett, der Tod und der Tod und der Tod.

Statt nach dem Telefonhörer zu greifen, ließ er seinen Kopf auf die Arme sinken, die randlose, in der Nacht nicht mehr funkelnde Brille verschob sich, während er einnickte. Ich muß sterben, hatte er gerade noch gedacht, ich bin ein zum Tode Verurteilter, ich bin am Ende meines Lebens angelangt, aber während er den allerunerträglichsten Gedanken gedacht hatte, den es gibt, den Gedanken, der alle Gedanken beendigt, den blinden und grauen Gedanken, hinter dem es nichts mehr gibt und die Spiegel verlöschen,* war er eingenickt.

Etwas später wachte er wieder auf, von Schmerzen gepeinigt. Er suchte in seiner Schreibtischschublade nach den Tabletten. Er nahm drei Stück aus der Schachtel. Dann rief er nach seiner Haushälterin und bat sie, ihm ein Glas Wasser zu bringen.

DER JUNGE

Er befestigte künstliche Regenwürmer am Vorfach einer Schnurrolle,* die über ein gekreuztes Stück Holz gewickelt war; alle Jungen auf den Booten betrieben mit so beköderten Schnüren* ein wenig Privatangelei, wenn es sonst nichts zu tun gab. Er saß windgeschützt im Cockpit und dachte: wenn Knudsen einen Passagier an Bord nimmt, dann will er ihn irgendwo hinbringen und sicher nicht an unseren Teil der Küste, sondern hinüber, auf die andere Seite der Ostsee. Hätt' ich Knudsen nie zugetraut, dachte er. Aber warum, überlegte er, warum muß man einen Mann heimlich über die Ostsee schaffen? Er wußte, daß die Fischer manchmal Kaffee und Tee schmuggelten, die sie von dänischen Booten draußen auf der See übernahmen,—und Knudsen beteiligte sich an so etwas nie—, aber einen Mann? Und plötzlich dachte der Junge: dann stimmen die Bücher ja doch noch, dann gibt es ja auch heute noch solche Sachen, wie sie im Huckleberry Finn und in der Schatzinsel und im Moby Dick erzählt werden. Toll, dachte der Junge, und so was machte Knudsen.*

JUDITH · GREGOR · HELANDER

Als sie wieder auf dem Kai stand, den Dampfer in ihrem Rücken, holte Judith, obwohl sie nicht mehr weinte, automatisch ihr Taschentuch aus der Handtasche und preßte es gegen ihr Gesicht. Auf dem Kai war es dunkel. Nur dort, wo Straßen auf den Platz mündeten, brannten Gaslaternen. Die Laterne über dem Eingang zum „Wappen von Wismar" brannte noch, und die Fenster der Gaststube leuchteten rötlich. Der Kai war leer von Menschen. Als Judith den Wind spürte, zog sie den Gürtel ihres Mantels enger.

Und wohin jetzt? fragte eine Stimme hinter ihr.

Judith fuhr herum. Das also war das Ende. Man sprach eiskalt und höhnisch den Gedanken aus, den sie in diesem Augenblick gedacht hatte, den einzigen Gedanken, den zu denken sie noch in der Lage war,—man hatte sie erwischt. Der Schrecken erfaßte sie so vollständig, daß sie auf der Stelle davongelaufen wäre, wenn sie einen Urheber erblickt hätte. Aber sie konnte nichts erkennen; der Sprecher mußte in der tiefsten Schwärze des Schattens stehen, den das Schiff warf. Sie versuchte, die Dunkelheit mit ihren Blicken zu durchdringen, und endlich erkannte sie eine Spur von Bewegung, die mit dem leisen, fast geflüsterten Schall neuer Worte auf sie zukam.

Was haben Sie denn jetzt vor?

Der Sprecher kam auf sie zu, er war ganz schnell bei ihr und faßte sie am Arm, ein Mann nicht größer als sie selbst, ein junger Mann, dessen Gesicht ich heute abend schon einmal gesehen haben muß, dachte Judith. Einer, den ich gesehen habe und der mir nachgegangen ist, einer, der mich erwischen hat wollen und mich erwischt hat.

Ins Hotel können Sie ja nun nicht zurück, sagte Gregor, oder müssen Sie Ihren Koffer unbedingt haben?

Judith schüttelte den Kopf. Gregor sah sie an und ließ ihren Arm los. Er lachte trocken.

Ach so, Sie halten mich für einen von den Anderen, sagte er. Entschuldigen Sie, daß ich daran nicht gedacht habe. Sehe ich so aus?

Sie erkannte ihn wieder. Er hatte heute abend in der Gaststube gesessen, erinnerte sie sich. Plötzlich fiel ihr ein, daß er es gewesen war, der den Wirt zu sich gerufen hatte, als die Spannung am größten gewesen war,—der graue junge Mann, der zu Abend gegessen und dabei die Zeitung gelesen hatte. Sah er aus wie einer von den Anderen? Sie wußte nicht, wie sie aussahen, sie hatte keine Erfahrung mit ihnen; sie wußte nur, daß man vor ihnen floh, oder daß man Selbstmord beging, wenn man nicht mehr vor ihnen fliehen konnte.

Was täten Sie denn jetzt, wenn ich einer von den Anderen wäre? fragte Gregor. Eine Art von Abneigung hatte ihn erfaßt, während er in ihr verwöhntes Gesicht sah; gereizt durch ihre abwesende und fremdartige Hilflosigkeit, trieb er einen Augenblick lang das grausame Spiel seiner Fragen weiter. Er folgte ihrem Blick, der sich ziellos in der Nacht verlor, ziellos seewärts.

Ins Wasser springen? fragte Gregor höhnisch. Was glauben Sie, wie schnell man Sie wieder herausgefischt hätte! Dann nahm er sich zusammen und sagte: Los, kommen Sie mit! Es gibt vielleicht eine Möglichkeit für Sie, hier herauszukommen.

Er faßte sie wieder am Arm und ließ ihn erst los, als sie begann, neben ihm her zu gehen; zu seinem Erstaunen ging sie sehr schnell, auf eine atemlose, hastige Weise, so daß er, als sie in die Nikolaigasse einbogen, zu ihr sagen mußte: Langsam, immer mit der Ruhe! Er dachte: hoffentlich versaut sie mit ihrer Nervosität nicht alles!*

Als sie eine Weile gegangen waren, blieb sie plötzlich stehen und sagte: Aber ich kann doch meinen Koffer nicht einfach . . .

Haben Sie das Geld noch im Koffer? unterbrach er sie.

Nein, sagte Judith, es ist hier in meiner Handtasche.

Na also, erwiderte Gregor, alles andere ist unwichtig.

Unwichtig, überlegte sie zornig, während sie an das Kleid, die Wäsche und die zwei Paar Schuhe dachte, die sich in ihrem Koffer befanden. Die hübschen Toilettesachen.

Als erriete er ihre Gedanken, sagte Gregor: Sie können sich alles neu kaufen, wenn Sie erst einmal draußen sind.

Woher wissen Sie, daß ich genügend Geld bei mir habe? fragte sie entrüstet.

Sie sehen so aus, sagte Gregor trocken.

Einen Augenblick lang starrte sie ihn an. Wer sind Sie eigentlich? fragte sie.

Wir haben jetzt keine Zeit, sagte Gregor und zog sie weiter. Die Häuser waren dunkel. Nach elf Uhr lagen die Leute von Rerik in ihren Betten. Ich sehe aus wie jemand, der genügend Geld hat, dachte Judith. Das hat mir noch niemand gesagt. Sie konnte sich nicht erinnern, jemals darüber nachgedacht zu haben, ob sie mehr Geld hätte als andere Leute. Es war alles so selbstverständlich gewesen: die Leinpfadvilla mit Mamas geliebtem Degas* im Salon, den Jockeys auf den langbeinigen Pferden über einem Rasen aus dunklem Chrysoprasgrün,— hoffentlich konnte Heise das Bild sicher unterbringen—, der Garten mit den portugiesischen Rosen im Sommer, den Georginen und Dahlien im Herbst und mit dem olivseidenen Wasser des Alsterkanals, weidenüberhangen der stille, kostbare Kanal, man hatte niemals Aufwand getrieben,* Papa hatte sich Zeit seines Lebens kein Auto geleistet,—aber trotzdem sah sie also nach Geld aus. Sah sie auch nach Mamas Tod aus, nach dem Gift in der Tasse, nach der Flucht im Auftrag einer toten Mutter, die sicherlich noch nicht einmal beerdigt worden war, über der man heute nachmittag erst den Sargdeckel geschlossen haben mochte?

Plötzlich fiel ihr ein, daß Mamas Foto noch auf dem Kopfkissen ihres Bettes im Hotelzimmer lag.

Was ist los? hörte sie ihren Begleiter fragen, als sie jäh stehen blieb.

Mamas Bild, flüsterte sie, es liegt noch im Zimmer.

Wann sind Sie denn getürmt? fragte Gregor.

Getürmt, dachte Judith, er nennt das, was ich getan habe, türmen. Türmen, das paßte zu Flittchen. Paßt es zu mir? überlegte sie.

Gestern, antwortete sie.

Dann wird man morgen früh anhand des Bildes* feststellen, wo Sie sich heute nacht aufgehalten haben, sagte Gregor. Das heißt, man wird Sie sehr schnell identifiziert haben.

Er spürte, wie empört sie war, ohne den Grund ihrer Empörung zu ahnen. Aber ich habe doch nicht deswegen an das Bild gedacht, sagte sie. Ich muß es mit mir nehmen. Es ist das einzige, was ich von meiner Mutter habe.

Nichts zu machen, erwiderte er. Sie können nicht deswegen alles aufs Spiel setzen. Ihre Mutter kann Ihnen ein anderes Bild schicken, später, wenn Sie in Sicherheit sind.—Oder lebt sie nicht mehr? fügte er hinzu.

Sie ist tot, sagte Judith.

Dann müssen Sie sich an Verwandte wenden, sagte Gregor. Es wird sicher eine ganze Menge Bilder von Ihrer Mutter geben. Er wunderte sich selbst über die Geduld, die er auf einmal aufbrachte. Was bewog ihn, hier stehenzubleiben und kostbare Zeit zu verschwenden, um sich über ein vergessenes Foto zu unterhalten, mitten in einer Aktion, an der das Leben mehrerer Menschen hing, und das Schicksal des lesenden jungen Mannes in der Kirche. Andererseits, dachte er, war der Lesende auch nur ein Bild, und vielleicht war das Bild der Mutter dieses Mädchens genau so viel wert wie das Bild eines jungen Burschen, der las. Er sah die dunklen Haare des Mädchens flattern, vom Licht einer

Gaslaterne durchstrahlt, das sich an ihrer Stirne, ihrer Nase, ihren
Lippen brach, und er zögerte einen Augenblick, ehe er Judith
zwang, weiterzugehen.

Er nahm nicht wahr, daß er mit diesem Zögern ihren Widerstand gegen ihn gebrochen hatte; er spürte nur, daß sie langsamer
ging, nicht mehr so nervös; daß sie sich genau an seiner Seite
hielt, während sie weitergingen. Gregor bog so schnell wie
möglich von der Nikolaigasse ab, in das Gassengewirr, das die
Georgenkirche umgab. Es war sehr dunkel in den engen
Straßen, und Gregor suchte den Weg nach dem Gefühl oder nach
dem manchmal in Ausschnitten auftauchenden Turm der Kirche,
dem schwarzen Steinbalken vor dem nicht ganz so schwarzen
Nachthimmel. Übrigens war in den Wohngassen da und dort
noch ein Fenster erleuchtet, während in der Geschäftsstraße alles
dunkel gewesen war, aber auf dem Georgenkirchplatz waren
wieder alle Häuser schwarz, nur zwei Gaslaternen brannten, eine
an einer Straßenmündung, die andere vor dem Hauptportal der
Kirche. Obwohl die Häuser zu schlafen schienen, vermied
Gregor es, quer über den Platz zu gehen, er hielt sich an den
äußeren Rand, ging an den Häusern entlang,—wie er es bereits
am Nachmittag getan hatte—, bis er an die Südseite der Kirche
gelangte. Er sah schon von weitem das erleuchtete Fenster in der
Pfarrei. Es warf seinen Schein bis auf die Stufen, die zum
Seiteneingang der Kirche hinaufführten, und in der Aura des
Lichts* konnte Gregor feststellen, daß sein Fahrrad noch immer
an der Mauer des Pfarramts lehnte; die Lenkstange glänzte
schwach, von dem gelben Schimmer getroffen, dem gleichen
gelben Schimmer, in den er, zusammen mit dem Mädchen,
treten mußte, um die Kirchentüre zu erreichen. Das Fenster lag
übrigens zu hoch, als daß er in das Innere des Zimmers hätte
blicken können.

Alles hatte Judith erwartet,—nein, nichts habe ich erwartet,
korrigierte sie sich—, nur nicht, in eine Kirche geführt zu

werden, in eine dieser Kirchen, die sie fürchtete, seitdem sie ihre Türme erblickt hatte. Daß der junge Mann, ihr Begleiter, einen schweren Schlüssel aus der Tasche holte und die Kirchentüre aufschloß, kam ihr unerklärlich vor. Dennoch hatte sie auch jetzt nicht das Gefühl, ein Abenteuer zu erleben,—sie empfand die Gefahr, in der sie lebte, als so wirklich, daß ihr der Gedanke, die Vorgänge dieser Nacht könnten möglicherweise etwas Romantisches an sich haben, fernblieb. Sie fühlte das Wunder, aber sie wunderte sich nicht darüber. Sie glitt durch den Spalt der geöffneten Türe von St. Georgen in das Geheimnis, einem Fisch gleich, der aus der grünen Helligkeit des offenen Wassers unter den Schatten eines Steins taucht. Geblendet von Dunkelheit blieb sie stehen. Aber als Gregor die Türe hinter sich zugemacht hatte,—es fiel ihr auf, daß er sie nicht abschloß—, fragte sie endlich: Was bedeutet das alles? Sie müssen mir sagen, was Sie mit mir vorhaben!

Sie erschrak über das hallende Echo ihrer Stimme im Raum und sie hörte den Fremden sagen: Sie dürfen hier nur flüstern!

Gregor hielt sich entfernt von ihr. Kommen Sie mir nach! sagte er. Sie erkannte ihn schließlich als schattenhafte Figur und sie bewegte sich tastend in der Richtung, die er voranging.

Gregor ging bis zu dem Pfeiler der Vierung, an dem der „Lesende Klosterschüler" saß. Hier war es am hellsten, alle Fenster waren zu erkennen, als matte Flächen aus Blei hingen sie über den Wänden, auch Judith erreichte die Stelle, sie konnte ein paar Stufen unterscheiden, die zum Lettner emporführten, und sie setzte sich auf die unterste; sie spürte plötzlich, wie müde sie war, und sie lehnte ihren Kopf an den Steinsockel, auf dem der Schüler saß und las. Aber unter ihrer Müdigkeit lebte ihre zähe weibliche Energie weiter.

Sie müssen mir antworten! sagte sie. Ich habe jetzt Zeit, dachte sie, solange ich in dieser Kirche bin, kann mir nichts geschehen. Sie war über diesen Gedanken so wenig erstaunt

wie darüber, daß man sie hierher geführt hatte—das Über-
wältigende war zugleich das Selbstverständliche: Kirchen waren
zum Schutz da. Und sie war noch so jung, daß sie hoffte, der
Unbekannte würde sich als ein Sendbote der Kirche entpuppen;
vielleicht hat die Kirche jetzt eine Art Mission zum Schutz der
Flüchtenden eingerichtet, dachte sie, und: Wenn Mama das
geahnt hätte!

Sie sind doch Jüdin? fragte Gregor.

Ich bin getauft, erwiderte sie. Schon mein Vater war getauft. Sie sagte es ein wenig ängstlich, so, als wolle sie dem
Boten der Kirche, der er doch sicher war, ein gutes Zeugnis
vorweisen.

Getauft, sagte Gregor verächtlich, das macht doch keinen
Unterschied. Den Anderen ist das ganz egal,* ob Sie getauft
sind oder nicht.

Ich weiß, sagte Judith. Und dann entschloß sie sich, tapfer
zu sein. Mir ist es übrigens auch egal, sagte sie. Ich bin seit
meiner Konfirmation nicht mehr zur Kirche gegangen. Ich
weiß nicht, ob ich an irgend etwas glaube. An Gott schon. Und
seit ein paar Jahren weiß ich, daß ich eine Jüdin bin. Früher
dachte ich, ich sei eine Deutsche. Aber da war ich noch ein Kind.
Seitdem hat man mich zu einer Jüdin gemacht. Sie schwieg,
dann sagte sie noch: Ich wollte Ihnen das sagen, ehe Sie mich
vielleicht retten; Sie brauchen nichts für mich zu tun, wenn Sie
nicht wollen.

Ach so, sagte Gregor. Er begriff, wofür sie ihn hielt. Aber
er hatte keine Lust, Erklärungen abzugeben. Er sagte nur, um
sie zu beruhigen: Das macht auch keinen Unterschied. Hätte
ich sagen sollen, dachte er, Sie täuschen sich, ich bin kein Christ,
ich bin Kommunist? Es hätte nicht gestimmt, denn ich bin kein
Kommunist mehr, ich bin ein Deserteur. Ich bin auch kein
Deserteur, sondern ein Mann, der begrenzte kleine Aktionen
durchführt, im eigenen Auftrag. Und dann begann es ihm zu

dämmern, daß er sich zu diesem jungen Mädchen in einer Beziehung befand, vor der Worte wie Christ, Kommunist, Deserteur, Aktivist verblaßten: ihr gegenüber war er überhaupt nichts anderes als der junge Mann, der sich vor ein junges Mädchen stellte—eine klassische Rolle, wie er ironisch konstatierte. Deswegen war er vorhin auf der Straße stehengeblieben und hatte sich etwas von einem Foto erzählen lassen, flatternde dunkle Haare betrachtend und ein aus Gaslicht und Schwärze zart und unerbittlich* geformtes Profil.

Weshalb sind Sie eigentlich auf der Flucht? fragte er.

Auf der Flucht, sagt er, dachte Judith. Er sagt nicht mehr: getürmt. Sie empfand eine Spur von Vertrauen, wie vorhin, als er auf der Straße stehengeblieben war, nachdem sie begonnen hatte, über den Verlust des Bildes ihrer Mutter zu klagen. Sie erzählte ihm die Geschichte von Mamas Sterben.

Gestern war das! sagte er betroffen. Mein Gott!

Woher wußten Sie es? fragte Judith.

Was habe ich gewußt? sagte Gregor erstaunt. Was meinen Sie?

Daß ich Jüdin bin, sagte Judith.

Das sieht man, erwiderte Gregor.

So, wie man es sieht, daß ich Geld habe?

Ja. Sie sehen aus wie ein verwöhntes junges Mädchen aus reichem jüdischem Haus.

Sie hatten sich inzwischen so an die Finsternis gewöhnt, daß sie einander, wenn auch undeutlich, sehen konnten, schattenhafte Figuren, mit Kohle auf einen Hintergrund aus grauem Licht gezeichnet. Der junge Mönch hockte zwischen ihnen, unbewegt.

Ob ich verwöhnt bin, weiß ich nicht, sagte Judith. Eigentlich bin ich immer ziemlich streng gehalten worden. Man hat alles von Ihnen ferngehalten, das wollen Sie wohl sagen, antwortete Gregor. Wieder überkam ihn Gereiztheit. Und nun

haben Sie also das erlebt, was man in Ihren Kreisen einen
Schicksalschlag nennt, was? fragte er herausfordernd.

Ja. Und? sagte Judith hilflos. Freilich . . .

Die feine Villa und der Schicksalschlag, sagte Gregor brutal,
in einem Ausbruch von Hohn. Und dann die Abreise der
jungen Dame ins Ausland, fuhr er fort, hübsche Hotels in
Stockholm oder London, Kostenpunkt Nebensache,* mit der
diskret gehegten Erinnerung an einen Tod voll Stil und Ge-
schmack im Hintergrund.

Sie fühlte sich nicht beleidigt. Fast unbewußt gewahrte sie
das Interesse an ihr, das im Ton seiner höhnischen Kritik lag.

Ich bin gemein, dachte er, ich bin hundsgemein. In einem
matten Versuch, die Worte, die geschehen waren, wieder
auszulöschen, sagte er: Ich meine doch nur, Sie sollten den Tod
Ihrer Mutter nicht nur als einen Unfall ansehen . . .

Was ist er denn? hörte er sie fragen.

Er schwieg einige Zeit und dachte nach. Es ist gar nicht so
leicht, darauf zu antworten, überlegte er. Früher hätte ich
etwas von Faschismus gesagt, von Geschichte und Terror.

Er ist eine kleine Ziffer im Plan des Bösen, sagte er schließlich.
Genau so, dachte er im gleichen Augenblick, würde der Pfarrer
seine Antwort formuliert haben.

Ach, sagte Judith, ihre Fassungslosigkeit hinter Kühle ver-
steckend, das Böse kann ich mir nicht vorstellen. Einen Unfall
kann ich mir vorstellen, aber das Böse . . . ?

Sie stand auf, weil es ihr kalt geworden war. Kalt, das Böse,
und dieser Fremde, zu dem sie manchmal Vertrauen spürte, der
sie manchmal abstieß und der nun begonnen hatte, sie zu
interessieren. Sie versuchte, die dunkle Luft der Kirche, die
zwischen ihrem Gesicht und dem seinen lag, mit ihren Blicken
zu durchdringen, aber sie konnte nicht mehr entziffern als ein
mageres, helles, unauffälliges Gesicht, ein Gesicht, das einem
Automonteur* gehören konnte oder einem Laboranten oder

einem Mann, der Manuskripte entzifferte, deren Texte ihn nicht interessierten, oder einem Flieger. Etwas sehr Erfahrenes und Altes lag in diesem jungen Gesicht, und zwischen Augen und Mund hatte sich ein nüchtern hingenommener, offenbar nicht sehr schmerzhaft empfundener Leidenszug eingetragen, aber die Schläfen und das Kinn zeigten Schläue, verrieten Tempo, verlässige Schnelligkeit* und Intelligenz. Den Ausdruck und die Farbe seiner Augen konnte sie nicht erkennen, aber seine Haare erkannte sie als glatt und schwarz, sie fielen ihm manchmal locker ins Gesicht, und dann mußte er sie wegstreichen. Hauptsächlich aber wirkte er unauffällig. Er war ganz anders als die jungen Männer aus dem Tennisclub in Harvestehude,* die sie kennengelernt hatte, solange sie die Plätze noch hatte benutzen dürfen,* und die immer noch mit einem Hallo und gespielter Nonchalance auf sie zukamen, wenn sie ihnen auf der Straße begegnete. Es waren durchweg gut aussehende, sympathische junge Männer gewesen, aber es wurde ihr jetzt bewußt, daß sie keinen Moment lang auf die Idee gekommen war, sich etwa an einen von ihnen um Hilfe zu wenden. Zu den Spielregeln dieser Tennispartner und Gentlemen gehörte das Hallo und die Selbstverständlichkeit, mit der sie über ihre Lage* hinwegsahen, —Hilfe gehörte nicht dazu. Auch Heise war kein Mann der Hilfe, er war nur ein Mann eleganter Vorschläge, ein Herr, der todsichere Fluchtwege wußte, aber niemals bereit gewesen wäre, Judith auf ihnen zu begleiten. Und beinahe lächelnd erinnerte Judith sich nun ihres letzten Traums: des Plakats von den schmissigen Seeoffizieren, den Kavalieren mit den intakten Ehrbegriffen, das sich als ein Limonadeplakat erwiesen hatte, in der Kapitänskajüte des schwedischen Schiffes. Möglicherweise gab es noch irgendwo Gentlemen, aber hierzulande schienen sie ausgestorben zu sein. Das Gesicht der Hilfe sah anders aus,—vielleicht sah es aus wie das schmale, magere Gesicht eines Automonteurs oder wie das flüchtige, Tempo

verratende Gesicht eines Fliegers, auf jeden Fall aber war es ein
unauffälliges Gesicht, ein Gesicht, das sich nicht gerne zeigte, weil
es in irgendwelche Arbeiten vertieft war.

Sie ging ein paar Schritte auf und ab, um sich zu erwärmen,
aber sie gab diesen Versuch fröstelnd auf. Ich möchte wissen,
fragte sie, warum Sie die Absicht haben, mir zu helfen? Denn
das haben Sie doch vor, nicht wahr? fügte sie hinzu.

Sie haben Glück, sagte Gregor, heute nacht fährt ein Boot
nach Schweden.—Mit dem da! Er wies auf die Statue. Stellen
Sie sich gut mit ihm, dann nimmt er Sie vielleicht mit.

Verwundert näherte Judith sich der Figur. Ich verstehe
nicht, sagte sie. Sie hatte die Statue bisher nicht beachtet, nun
trat sie auf sie zu und versuchte, sie zu erkennen.

Er soll morgen früh von den Anderen konfisziert werden,
erklärte Gregor.

Er? sagte Judith zweifelnd.

Ja. Er ist ein junger Mann, der liest. Schauen Sie sich ihn
nur an!

Judith mußte sich ein wenig herabbeugen, um das Bildwerk
betrachten zu können, aber sie war genötigt, ihre Hände zu Hilfe
zu nehmen, damit sie der Form gewahr wurde. Sie spürte das
Holz glatt unter ihren tastenden Händen. Nachdem sie das
Gesicht befühlt hatte, stieß sie einen Ruf des Erstaunens aus und
nannte den Namen des Bildhauers, der die Statue gemacht hatte.
Gregor erinnerte sich dunkel, den Namen schon einmal gehört zu
haben. Natürlich, dachte er, in ihren Kreisen kennt man solche
Namen. In ihren Kreisen haben solche Namen wahrscheinlich
einen bestimmten Preis—und deshalb kennt man sie. Und in
der Tat hörte er sie sagen: Das ist eine sehr wertvolle Plastik.

So wertvoll, bemerkte er spöttisch, daß Sie die Chance haben,
von diesem Burschen aus Holz mitgenommen zu werden. Als
Draufgabe* sozusagen. Er ist uns nämlich wichtiger als Sie.

Wen meinen Sie mit uns? fragte sie.

Den Pfarrer dieser Kirche und mich, erwiderte er. Er sah auf das Leuchtblatt* seiner Armbanduhr und sagte: Der Pfarrer wird in einer Viertelstunde kommen; dann montieren wir die Figur ab und bringen sie zu einem Boot, das heute nacht nach Schweden fährt.

Und ich? fragte sie gespannt.

Sie können mit mir kommen. Wenn Sie Glück haben, nimmt der Fischer, dem das Boot gehört, Sie mit nach drüben.

Er hörte, daß sie einen Seufzer der Erleichterung ausstieß.

Nein, sagte er, freuen Sie sich nicht zu früh! Knudsen ist ein schwieriger Mann. Es ist nicht sicher, daß er Sie mitnimmt. Und außerdem ist das Ganze eine ziemlich gefährliche Sache.

Sie richtete sich auf und wandte sich ihm zu. Er sah ihren Trenchcoat, der heller war als ihr Gesicht, dicht vor sich, ihre Haare flatterten jetzt nicht, sondern rannen nur still auf ihre Schultern hinab, sie stand in einer Entfernung von ihm, in der er ihr Gesicht noch als eine Einheit wahrnehmen konnte, eine verwöhnte und wilde Komposition aus Augen, Nase, Lippen und Backenknochen, alles noch weich und unerfahren, zu Verwandlungen fähig, und er hörte sie fragen: Sie würden mir also nicht helfen, wenn Sie nicht gerade dieser Figur zu helfen hätten?

Sie standen sich gegenüber, sehr nah, und Gregor dachte: Es ist eine Verführungsszene, sie ist ziemlich hübsch und sie weiß es, und ich habe mich schon sehr lange um keine Frau mehr gekümmert. Es wäre jetzt leicht, die Arme um sie zu legen, und es wäre auch sehr schön, und schließlich wird es sogar erwartet, sie hat einen todsicheren Instinkt, sie weiß, daß ein Mann erst dann schützt, wenn er liebt, und daß eine Frau ihr Leben nur zusammen mit ihrem Körper dem Schutz ausliefern darf—es ist eine Beleidigung des Instinkts, den Dank des Fleisches nicht anzunehmen, das Opfer der Hingabe für die Tat des Gehirns* auszuschlagen.

Aber ich, überlegte er, ich bin nicht instinktsicher, ich bin kalt, ich weiß das alles, mein Gehirn funktioniert zu gut und ich wehre mich gegen diese Funktion des Fleisches. Ich nehme mir manchmal eine Frau, aber seit Jahren schon lehne ich es ab, eine zu lieben, mein Gehirn in der Magie eines geliebten Gesichts auch nur für Bruchteile von Sekunden aufzulösen, mit meinem Mund einen Hals zu suchen, als biete er die Erlösung von allem Übel. Ein einziger wirklicher Kuß würde mein Gehirn schwächen, das ich brauche, um den Anderen gewachsen zu sein. Illegalität und Liebe schließen sich aus. Kuriere sind Mönche, dachte Gregor, und: kein Boxer darf vor einem Kampf mit einer Frau schlafen.

Vielleicht sit Franziska nur verhaftet worden, weil sie mich geliebt hat, dachte er, und er fühlte wieder seine Abneigung gegen das junge Mädchen vor ihm, als er sich an Franziska erinnerte. Als er aus den Manövern am Schwarzen Meer zurückgekehrt war, hatte er Franziska in der Lenin-Akademie nicht mehr vorgefunden. Die Genossen Lehrer hatten nur die Schultern gezuckt, als er, zuerst ganz harmlos, nach Tagen immer erregter, gefragt hatte, wo sie sei. Versetzt, hatten sie zuerst gesagt. Franziska war zusammen mit ihm aus Berlin auf die Schule nach Moskau gekommen; sie war wunderbar geschult, und sie hatten zusammen dialektischen Materialismus gebüffelt.* Und es war wunderbar gewesen, mit ihr die Liebe zu machen, ihr schlanker Körper hatte eine befreiende, souveräne, kühne Zärtlichkeit besessen, ihr Fleisch war gesalbt gewesen vom Duft des Bewußtseins. Gregor war außer sich geraten, als er auch nach Tagen nichts von ihr hörte. Schließlich hatte ihn einer der Lehrer beiseite genommen und gesagt: Tschistka,* Sie verstehen, Genosse Grigorij. Nein, er hatte es nicht verstanden, es war ausgeschlossen, daß Franziska gegen den Staat der Arbeiter und Bauern gearbeitet hatte, er war empört aufgeflammt, aber der Lehrer war sofort hochoffiziell geworden, und damals hatte zum erstenmal sein, Gregors Gehirn, blitzartig reagiert: er hatte geschwiegen. Von da an hatte er sich gänzlich in sein Tarasovka-Erlebnis eingepuppt: die Erinnerung an den goldenen Schild über dem Schwarzen Meer hatte ihm geholfen, den Kurs mechanisch zu beenden. Er hatte schon in Moskau gelernt, was er dann in Deutschland am meisten brauchte: auf der Hut zu sein. Franziska war offenbar nicht auf der Hut gewesen, sagte er sich, sicherlich hatte sie geglaubt, das Genie ihrer freien Liebe in die Perspektiven der Lehre projizieren zu können, aber das war ihr Fehler gewesen: sie war nicht kalt gewesen, sie hatte ihre Liebe nicht ausgelöscht.

Es war empörend, daß er Franziska nicht hatte helfen können, während er diese Unbekannte retten sollte. Eine junge Frau von strahlender Intelligenz war untergegangen, und statt ihrer bot ihm der Zufall ein verwöhntes, törichtes Geschöpf an, ein junges bourgeoises Ding, das, halb betäubt von dem, was mit ihm geschehen war, nichts anderes einzusetzen wußte als einen kindlichen Verführungsversuch, eine Verlockung aus Haaren und einem schönen Mund, der die Herausforderung seiner Frage so töricht wie sicher hervorbrachte.

O ja, sagte Gregor und vergaß alle Kontrollen, ich würde Ihnen auch helfen, wenn es diese Figur nicht gäbe.

Er trat ganz dicht an sie heran und legte seinen linken Arm auf ihre Schulter. Nun zerfiel die Einheit ihres Gesichts, noch immer konnte er ihre Augen nicht erkennen, aber dafür spürte er den Duft ihrer Haut, ihre Nase glitt vorbei, ihre Wangen, und schließlich blieb nur noch ihr Mund, ihr Mund, immer noch schwarz aber schön geschwungen schwankte er heran und löste sich auf, fiel herab, als er den Kopf erhob, weil er das Knarren der Türe hörte, die sich öffnete. Als der Schein der Taschenlampe hereinfiel, war er bereits zwei Schritte von Judith zurückgetreten.

Lampe aus! rief er flüsternd, und das Licht erlosch gehorsam.

Der Pfarrer, dachte Gregor erleichtert, denn einen Moment lang hatte er gedacht, es könne auch der Feind sein, und er hörte, daß der Pfarrer an der Türe stehengeblieben war und schwer atmete. Jetzt hörte er ihn sagen: Kommen Sie hierher!

In diesem Augenblick begannen die Glocken von Sankt Georgen die zwölfte Stunde zu schlagen. Ihr grelles Geschmetter brach wie Schrecken in die Kirche ein und brachte jede Bewegung zum Stillstand. Erst als sie geendet hatten, ging Gregor auf die Türe zu, die der Pfarrer hinter sich geschlossen hatte. Noch keuchend von der Anstrengung, hatte Helander sich an sie gelehnt.

Ich muß mich auf Sie stützen, sagte er zu Gregor, das Gehen fällt mir heute etwas schwer.

Die Decke, die er unter dem Arm trug, entglitt ihm. Gregor hob sie auf. Dann legte er sich den Arm des Pfarrers um die Schultern. Was ist los mit Ihnen? fragte er. Was haben Sie?

Mein Bein, sagte Helander, die Prothese sitzt heute nicht richtig.

Ehe sie sich bewegten, sagte der Pfarrer: Komisch, ich war noch nie bei völliger Dunkelheit in der Kirche. Immer war es entweder Tag oder es brannte Licht. Er blickte zu dem matten Bleiglanz der Fenster empor.

Nachdem sie ein paar Schritte gegangen waren, wurde er Judiths gewahr. Ihr heller Mantel phosphoreszierte fast, unbeweglich neben dem lesenden Mönch an der Säule. Helander blieb erschrocken stehen. Wer ist da noch, fragte er mißtrauisch.

Keine Sorge, antwortete Gregor. Noch jemand, den Knudsen mitnehmen muß. Ich habe sie unten am Hafen gefunden. Die Anderen sind hinter ihr her.

Aber der Pfarrer hätte sich nicht von der Stelle bewegt, wenn nicht Judith auf ihn zugekommen wäre.

Herr Pfarrer, sagte sie, ich bin Jüdin. Dieser Herr hat mir

seinen Schutz angeboten und mich hierher gebracht. Aber ich gehe sofort, wenn Sie nicht wünschen, daß ich bleibe.

Erstaunlich, dachte Helander, was sich an einem Tage alles ereignen kann. Erstaunlich auch, was dieser junge, fahnen-flüchtige Kommunist alles bewirkt.

Haben Sie es tatsächlich fertiggebracht, Knudsen umzu-stimmen? fragte er Gregor.

Nein, sagte Gregor wahrheitsgemäß, aber er ist geblieben und er übernimmt die Figur heute nacht auf der Lotseninsel.

Und er wird die junge Dame mitnehmen?

Er hat bis jetzt noch keine Ahnung von ihrer Existenz, sagte Gregor.

Nun, dann machen Sie sich noch nicht zu viele Hoffnungen, Kind, sagte Helander, zu Judith gewendet. Eine Jüdin, dachte er, und: ob sie getauft ist? Es ist gleichgültig, gab er sich zur Antwort, wer von den Anderen gejagt wird, ist getauft. Voller Haß dachte er einen Augenblick daran, daß es Amtsbrüder gab, die ihren jüdischen Gemeindemitgliedern nahelegten, die Taufe rückgängig zu machen—die Schande der Kirche war unermeßlich.

Junge Dame, dachte Gregor, und dann die Anrede „Kind" und ihr Getue mit „Aber ich gehe sofort, wenn Sie nicht wünschen, daß ich bleibe",—was für eine Sprache sie miteinander reden, die Sprache ihrer Kreise, sie haben sofort gewußt, daß sie zusammen gehören, sie haben sich am Tonfall erkannt. Gregor, des Pfarrers Arm noch immer auf seiner Schulter festhaltend, beobachtete, wie Judith sich mit dem Pfarrer unterhielt, angenehm ehrerbietig, aber doch gesellschaftlich zu ihm gehörig, fast im Plauderton, es sähe entzückend aus, wenn es nicht so blöd wäre, ja, entzückend blöd sieht es aus, dachte Gregor, und ich gehöre jedenfalls nicht dazu, nicht zu diesem tadellosen Edelmann Gottes und nicht zu dieser süßen Bourgeoi-sen, nicht zu ihrem tragischen Geplauder über den Selbstmord von „Mama", nicht zu dieser ganzen „Haltung vor der Guillotine",* es fehlt nur noch, daß Tee gereicht wird, und erbittert dachte er: Himmeldonnerwetter,* warum bin ich eigentlich hier, warum habe ich mich nicht gedrückt, warum mache ich die Dreckarbeit* für sie und warum habe ich Knudsen gezwungen, die Dreckarbeit für sie zu machen? Aber dann fiel sein Blick auf den lesenden Mönch, auf den Genossen Klosterschüler, und er wußte wieder, warum er hier war, auch der Genosse Klosterschüler gehörte nicht zu ihnen, er gehörte zu Gregor, er gehörte zu denen, die in den Texten lasen, aufstanden und fortgingen, er gehörte in den Club derer, die sich verschworen hatten, niemandem mehr zu gehören.

Dann spürte er an der immer schwerer werdenden Last auf seinen Schultern, daß der Pfarrer sich kaum noch aufrechthalten konnte. Er führte ihn zu den Stufen und half ihm vorsichtig, sich hinzusetzen.

Selbstmord, dachte Helander, von dem, was das Mädchen ihm erzählt hatte, überwältigt, Selbstmord hieß also eine mögliche Antwort auf eine Frage, die nicht zu beantworten war. Diese alte Dame in Hamburg hatte sie gewußt, während sie ihm, Helander, noch nicht eingefallen war. Oder war sie ihm doch eingefallen, hatte er vielleicht die ganze Zeit schon mit dem Wort Selbstmord gespielt, ohne es auszusprechen? War nicht diese ganze Angelegenheit mit der Figur einfach eine Art Selbstmord, ein eigensinniger Gang in den Tod? Wäre es nicht das Einfachste, Hand an sich zu legen, wenn die Figur entfernt war, wenn der „Lesende Klosterschüler" seinen Gang zum Propst von Skillinge angetreten hatte? Aber als er diesen Gedanken gedacht hatte, überkam den Pfarrer wieder das Feurige und Wütende seiner Natur, seine Neigung zum Jähzorn. Gott hat recht, mir diese Antwort zu verbieten, dachte er, so leicht soll man es dem Bösen nicht machen. Ich werde es dem Bösen so schwer machen wie möglich, indem ich dableibe.

Ich werde Ihnen wenig helfen können, sagte er zu Gregor,

indem er einen Schraubenzieher aus der Innentasche seines geistlichen Gewandes holte.

Das macht nichts, sagte Gregor, sie kann mir ja helfen. Er deutete auf Judith. Zum erstenmal, seitdem der Pfarrer in die Kirche gekommen war, sahen Gregor und Judith sich an.

Der Sockel, auf dem die Figur steht, ist hohl, erklärte Helander. Auf der Innenseite werden Sie drei Schrauben finden, die die Figur mit dem Sockel verbinden.

Das nicht sehr große Bildwerk und sein Sockel erwiesen sich doch als ziemlich schwer. Gregor wies das Mädchen an, die Figur so weit unten wie möglich festzuhalten, ehe er vorsichtig begann, den Sockel zu kippen. Als er ihn so schräg gestellt hatte, daß er nicht mehr in seine Ausgangslage* zurückgleiten konnte, sprang er Judith bei, und zusammen ließen sie die Plastik in die Horizontale hinab, bis der Sockel mit einer seiner Längsseiten auf dem Boden lag. Die Arbeit gelang ihnen fast lautlos, der dumpfe Glockenton, mit dem der schwere Bronzesockel auf die Kirchenfliesen gelangte, war so leise wie vielleicht der vereinzelte Schritt eines Besuchers, der bei Tage die Kirche betrat.

Auch die übrige Arbeit ging glatt vonstatten. Gregor leuchtete mit der Taschenlampe des Pfarrers in den Sockel hinein, wobei er darauf achtete, daß so wenig Lichtschein wie möglich nach außen fiel, und sah sofort die drei Schrauben. Sie leisteten der Arbeit des Schraubenziehers nicht mehr als den üblichen Widerstand. Ehe Gregor die letzte Schraube herauszog, wies er Judith an, die Figur festzuhalten; als er sich erhob und aufblickte, sah er das Mädchen auf dem Boden knien, die aufgefangene Figur in den Armen, als trüge sie eine Puppe oder ein Kind. Er breitete rasch die Decke auf dem Boden aus, nahm Judith das Bildwerk ab und wickelte es sorgfältig ein. Helander reichte ihm einige Riemen, mit denen er das Bündel festschnürte. Es wog nicht schwer, stellte er fest, das Hauptgewicht hatte der Sockel gehabt.

Würden Sie so freundlich sein und den Sockel wieder aufrichten, sagte der Pfarrer.

Richtig, dachte Gregor, das war notwendig, vielleicht hatte der Pfarrer die Absicht, den Anderen zu erzählen, die Figur sei schon seit längerer Zeit entfernt worden. Es mußte alles so ordentlich wie möglich aussehen. Es gelang ihm, den Sockel allein aufzurichten und ihn wieder dorthin zu schieben, wo er gestanden hatte. Die drei Schrauben schob er vorher darunter. Es blieb nichts mehr zu tun. Lassen Sie mich Ihnen wieder bis zur Türe helfen, sagte Gregor zu Helander.

Nein, danke, sagte der Pfarrer, ich möchte noch ein wenig hier sitzenbleiben.

Wie Sie wollen, sagte Gregor, aber Sie werden sich erkälten.

Ich habe eine andere Bitte an Sie, sagte der Pfarrer, ich möchte noch ein Vaterunser sprechen, für Sie und für dieses junge Mädchen und natürlich auch für die Figur. Nein, sagte Gregor sehr schnell, ich weiß nicht mehr, wie lange ein Vaterunser dauert, und wir haben es nun sehr eilig.

Es dauert nicht länger als eine Minute, sagte der Pfarrer.

Nein, erwiderte Gregor.

Der Pfarrer machte eine zornige Bewegung, aber er bezwang sich. Kommen Sie zu mir her, sagte er zu Judith. Sie näherte sich ihm zögernd. Beugen Sie sich ein wenig zu mir herab, sagte Helander flüsternd, als solle Gregor es nicht hören. Sie gehorchte ihm, und er machte das Kreuzzeichen auf ihrer Stirne.

Er sah den beiden nach, als sie die Kirche verließen. Sie gingen schnell und entschlossen davon, mit Schritten, die sich an die Finsternis gewöhnt hatten. Auch des Pfarrers Augen hatten sich mittlerweile an das Dunkel gewöhnt, sie blickten statt in Schwärze in ein gleichmäßiges Grau, in das Grau einer Kirche, deren junge Seele soeben entflohen war. Helander starrte auf den leeren Sockel. Dann sprach er lautlos das Vaterunser.

DER JUNGE

Er spürte, wie Knudsen den Kutter einen Augenblick lang rückwärts laufen ließ und dann die Kupplung herausriß.* Das Boot fuhr nicht mehr. Es schwoite* ziemlich stark in den Böen, die der Junge spürte, als er auf Deck kam. Er ging nach hinten und holte das Beiboot heran und sprang hinein. Knudsen reichte ihm die beiden Ruderpaare nach und warf ihm die Vorleine* zu. Hast Gegenwind, sagte er zu dem Jungen, wird 'n Stück Arbeit werden für dich. Der Junge sah ihn weiterfahren, während er sich gegen den Wind aus dem Fahrwasser raus arbeitete. Es war eine saumäßige Arbeit, das Boot gegen den Wind über das Haff zu kriegen, aber der Junge arbeitete gleichmäßig und verbissen. Wenn wir den Passagier an Bord kriegen, dachte er, dann fahren wir über die See, und das ist die Chance für mich. Nie hätt' ich gedacht, daß ich mal 'ne Chance kriegen würde.

Jetzt, da er die Chance spürte, dachte er übrigens nicht mehr an die Gründe, warum er weg wollte. Er dachte nicht mehr an seinen Vater, er hatte vergessen, daß in Rerik nichts los war, und am allerwenigsten fiel ihm sein Traum von Sansibar ein. Alle seine Gedanken kreisten um die Chance, und ob es ihm gelingen würde, sie auszunützen.

JUDITH · GREGOR

Es war halb eins, als sie das Gebäude der Genossenschafts-
molkerei erreichten. Gregor hatte einen Umweg gefunden,
der sie erst außerhalb der Stadt auf die Doberaner Chaussee
führte, wiederum waren sie keinem Menschen begegnet, und die
Chaussee war dunkel und leer, ein einziges Mal war ihnen ein
Lastauto begegnet, aber sie hatten sich hinter Gebüsch und
Bäumen versteckt, ehe es heran war.

Außerhalb der Stadt war die Nacht weder ganz dunkel, noch
besonders hell. Ein kranker Mond hing bereits ziemlich tief im
Westen, gelbsuchtgelb und sichelförmig, aber die Sichelrundung*
nicht sehr schmal,—wenn er untergegangen war, würden die
dunkelsten Stunden kommen, was ihre Flucht begünstigte. Es
gab außerdem Wolkenfetzen und Sterne; das Mond- und Sternen-
licht flackerte von den Windstößen, die an Stärke zugenommen
hatten,—oder vielleicht waren sie im Freien nur stärker zu
spüren, dachte Gregor—, und manchmal schlugen ihnen von
Westen her ein paar Regentropfen schwer in die Gesichter.
Aber der Wind war zu stark, als daß es zum Dauerregen gekommen wäre, er fegte die Wolken in Schüben* vor sich her.
Gregor überlegte, daß er sich morgen einen Mantel kaufen
müsse—er hatte schon zu lange gewartet damit, heute nacht
würde er ihm fehlen.

Das Molkereigebäude lag stumm und grau am Straßenrand.
Sie fanden den Fußweg, von dem Knudsen gesprochen hatte,
sofort; er bog hinter dem Haus von der Straße nach rechts ab.
Gregor atmete eine Sekunde lang auf, als sie die mit kleinen
dunklen Steinen gepflasterte Straße verließen, sie hatten die erste
Etappe hinter sich, sie verschwanden aus dem Bezirk der Häuser,
Straßen und Lastautos. Er blieb stehen und hob das Bündel mit

der Figur auf die rechte Schulter, ehe er weiterging. Auf dem
ganzen Weg hatten sie nur das Nötigste miteinander gesprochen,
nach der Szene in der Kirche darf es jetzt nur das Nötigste geben,
dachte Gregor, ich will mich auf nichts mehr einlassen, in ein
oder zwei Stunden wird die Nacht dieses Gesicht verweht haben,
schwarze Haare und ein geschwungener Mund* in die Unend-
lichkeit der Nacht, der See und der Zeit verweht, blöd von mir,
daß ich mich beinahe auf einen Kuß eingelassen hätte, ich habe
mich damit eines Vorteils beraubt, dachte er, ich bin nicht mehr
so überlegen wie vorher, ich habe nicht mehr die Überlegenheit
des Abstands.   Ärgerlich fühlte er, daß er befangen war.
   Zu beiden Seiten des Weges wuchsen Hecken, dichtes, noch
belaubtes Gestrüpp, das den Wind abhielt, es war fast warm in
der umlaubten Gasse aus Windstille.* Hinter den Hecken
dünstete Weideland, schon vom Vieh verlassen, aber an einem
Gatter, an dem sie vorbeikamen, standen ein paar Rinder
dichtgedrängt, die Rücken gegen den Wind gestellt, leises
Schnauben und gefleckte Felle in einer kalten Spätherbstnacht,
Wintervieh in der trostlosen Weite, an deren Horizont manchmal
ein Gehölz oder ein Strohdach zwischen Erde und Himmel hin-
kroch, schwarzes Reptil, niedergehalten von der Faust des
Firmaments aus Nacht,* die riesig über der Ebene lag.   Bin ich
jemals schon so in der Nacht auf dem Land gegangen?, überlegte
Judith, sommers vielleicht manchmal, vor Jahren, als wir noch
nach Kampen* fuhren oder nach Sils Maria.* Aber das waren
nur Spaziergänge in freundlichen, von Lichtern durchglitzerten
Nächten gewesen, in Gegenden, die so hübsch angelegt waren,
daß sie ihre Landhäuser und Grandhotels sogar manchmal
verbargen, in Nächten wie jener, die so himmlisch gewesen war,
daß Papa plötzlich stehengeblieben war und seinen geliebten
Goethe rezitiert hatte: Nacht ist schon hereingesunken,* schließt
sich heilig Stern an Stern, große Lichter, kleine Funken, glitzern
nah und glänzen fern, sie war ein sehr junges Mädchen damals

gewesen, so zwischen zehn und zwölf, und der Reimtakt hatte
sich in ihr Kindergemüt eingelassen, so daß sie Papas Rezitativ
nie vergessen hatte, Glitzern hier, im See sich spiegelnd, erinnerte
sie sich, Glänzen droben klarer Nacht, aber hier war alles ganz
anders, Tiefsten Ruhens Glück besiegelnd, herrscht des Mondes
volle Pracht, das gab es hier nicht, sondern gefleckte Felle, Kälte
und Trostlosigkeit, Goethe und Papa befanden sich irgendwo,
hier waren sie undenkbar, denkbar war hier nur dieser junge
Mann, der sie aus irgendeinem Grunde nicht mochte, der finster
neben ihr herging, der einen Kuß unterbrochen und das Vaterunser zurückgewiesen hatte, aber aus Gründen, die sie nicht
einmal ahnen konnte, ein Mädchen und einen hölzernen Mönch
zu retten unternahm.   Die Nacht war wild und unbekannt, der
Mann neben ihr war fremd und rätselhaft, und Judith hatte
Angst.

Der Weg senkte sich unmerklich, wurde zum Hohlweg, von
sandigen Karrenspuren zerpflügt;* als er sich öffnete, gerieten
sie auf feuchtes, ebenes Wiesenland, das sich ein paar hundert
Meter weit vor ihnen erstreckte—das Ufer des Haffs.   Sie
gingen, die Richtung beibehaltend, auf die Wiesen hinaus, und
nach ein paar Minuten konnten sie eine dunkle Gruppe vom
Nachthimmel unterscheiden: das Boot und den Jungen, der
neben dem Boot stand und sie beobachtete, wie sie sich näherten.
Auf den offenen Wiesen stieß der Wind sie förmlich auf ihn zu,
sie kamen atemlos bei ihm an.

Der Junge begrüßte sie nicht.   Er starrte Gregor an und fragte:
Sind Sie der, den ich zum Schiffer bringen soll? Er sprach
mecklenburgisches Singsang-Platt.*

Ja, sagte Gregor.   Aber der Junge blieb zweifelnd stehen und
sagte: Es ist wegen der Frau.   Der Schiffer hat nichts von einer
Frau gesagt.

Das geht schon in Ordnung, sagte Gregor.   Du wirst es schon
sehen, wenn wir Knudsen treffen.

Der Junge zuckte mit den Achseln. Der Wind ist schit*
heute, sagte er, und half Judith beim Einsteigen. Er plazierte*
sie in das Heck des Bootes, ans Steuerruder, Gregor auf die
Mittelbank und sich selbst an das vordere Ruderpaar. Er
stakte das Boot mit ein paar gewandten Stößen vom Ufer ab.
Das Wasser lief hier flach ans Ufer, bis an die Wiesennarbe,* die
höchstens eine Handbreit über dem Wasserspiegel stand.

Gregors erste Ruderschläge waren ungeschickt, sie behinderten die Stakrichtung,* aber der Junge hing sehr rasch
seine Ruder in die Dollen und brachte das Boot in tieferes
Wasser. Sie wendeten das Boot, so daß es in Fahrtrichtung
kam; Judith, auf der Bank achtern sitzend, konnte nun nach
vorne schauen, in die Richtung der Ruderschläge, während
Gregor und der Junge auf das Ufer zurückblickten, das sie
verließen. Eine Weile noch konnte Gregor die Kerbe des
Hohlwegs sehen, durch den sie auf die Uferwiesen gelangt waren,
dort, wo das Land in einer leichten Welle zur Uferfläche abfiel,
dann schwand diese Einzelheit dahin, und er sah nur noch den
dunklen Wiesenstrich und dahinter die Erhöhung des Landes,
einem Deich ähnlich, vom Gewölk leerer Baumkronen undeutlich gegliedert.* Er hatte das Paket mit der Figur darin
sorgfältig unter der Bank verstaut, auf der er saß, und er bemühte
sich nun, die Ruder so gleichmäßig einzutauchen wie möglich,
aber er spürte, wie mangelhaft ihm das gelang und wie rasch und
sicher der Junge seine Fehler ausglich. Sie kamen ziemlich
schnell vom Ufer ab. Judith hatte das Steuer in die rechte Hand
genommen, sie ließ den Unterarm auf der hölzernen Pinne ruhen
und bewegte sie geschickt nach den Weisungen des Jungen, der
manchmal „links" sagte oder „stärker nach links". Boote
waren ihr vertraut, wenn auch nicht gerade schwere Fischerei-
boote mit Ruderpinnen, aber sie hatte in den Alsterböen*
gesegelt, und sie kannte Jungens wie diesen da, die schweigsam
waren, wenn sie in ihren Booten saßen und nur eines erwarteten:

daß man richtig und schnell reagierte. In einem Boot wurden Jungens zu kleinen Männern, hart und sachlich, und man konnte nichts anderes tun, als sich auf sie einstellen.

Gregor bemerkte, daß der Junge mit seinen Steueranweisungen das Boot immer in einer gewissen Nähe des Ufers hielt. Offenbar wollte er nicht zu weit hinaus. Gregor wandte sich um und orientierte sich. Ihr Gang hatte sie von Rerik aus an eine Stelle geführt, die im inneren Bogen der Bucht lag, halbwegs auf dem Wege zur Spitze der Halbinsel, die Lotseninsel hieß; Gregor sah den Leuchtturm, der Lichtstrahl vom Turm wanderte von irgendeinem Punkt auf der offenen See im Osten nach Westen, bis dorthin, wo die Halbinsel ansetzte. Gegen das Haff zu war das Lampengehäuse des schwarz und weiß gebänderten Turms abgeschirmt,—es war unnötig, den Strahl über das Binnenwasser gleiten zu lassen. Die Lichter von Rerik waren nicht zu sehen; das südliche Ufer des Haffs verbarg die Stadt, die in einer weiteren kleinen Bucht landein lag.

Warum hältst du das Boot so dicht an Land? fragte Gregor, so müssen wir ja den ganzen Bogen ausrudern.* Können wir nicht querüber gradaus auf die Insel zu?

Das ist wegen dem Zollboot,* erwiderte der Junge. Wenn wir weiter rausgehen, kommen wir in die Nähe der Fahrrinne, erklärte er, und je näher wir an die Fahrrinne rankommen, desto leichter kriegen sie uns mit ihrem Scheinwerfer.

Woher weißt du denn, daß wir nicht gesehen werden sollen? fragte Gregor.

Der Schiffer hat gesagt, ich soll Sie möglichst unbemerkt rüberbringen, antwortete der Junge.

Judiths Augen hingen an dem Strahl des Leuchtfeuers, sie folgte ihm unablässig mit ihren Blicken. Der Mond war untergegangen, und der Turm war das einzige Ding, das Licht spendete in einer Nacht, in der kaum mehr zu erkennen war als die Grenzen von Wasser, Erde und Himmel, zwei bewegte

Körper, ringsum getrennt von einem unbewegten, der am schwärzesten war. Denn der Himmel war von der Bewegung der Wolken erfüllt, die manchmal von irgendeinem Widerschein des untergegangenen Lichtes beleuchtet waren, flatternde Fahnenfetzen, nach Osten jagend; und das Wasser, aufgewühlt von den Böen, zeichnete feine Linien aus Schaumweiß auf die Kämme der rasch in sich zusammenstürzenden Wellen, die an ihren Innenseiten bleich phosphoreszierten. Judith klammerte sich mit ihren Augen an den Leuchtturm, um nicht den Himmel und das Wasser sehen zu müssen, und während sie den Befehlen des Jungen mechanisch gehorchte, dachte sie: es ist kalt, es ist schrecklich kalt, und diese Nacht ist etwas Unausdenkbares, ich bin in etwas Unausdenkbares geraten. Manchmal erinnerte sie sich daran, daß sie hatte fliehen wollen, aber Flucht war für sie ein Wort gewesen, keine Wirklichkeit, sie war in die Wirbel der Wirklichkeit geraten und sie entdeckte nun, daß es wirkliche Wirbel waren, die sie in eine Tiefe rissen, aus der es kein Entrinnen gab.

Gregor spürte die Kälte nicht, denn er ruderte nun mechanisch und verbissen, aber er beobachtete die Wellen, die von der Landseite aus heranjagten und den Jungen zwangen, das Boot immer öfter nach rechts wenden zu lassen, auf das offene Haff hinaus, damit die Böen, wenigstens die schlimmsten, das Boot nicht an der Breitseite trafen. Immerhin ruderten sie so mit dem Wind und kamen rasch vorwärts. Von Zeit zu Zeit setzten die Böen aus, dann rief der Junge „Backbord", und Gregor nahm wahr, daß das Mädchen das Kommando verstand und das Steuer nach links legte.

Gregor wurde sich mit einem Male bewußt, daß er das Mädchen ununterbrochen anstarrte. Er saß Judith gegenüber, in seiner Ruderbewegung und in der Bewegung des Bootes hob sie sich vor ihm hoch und senkte sie sich nieder, während er die Haltung seines Kopfes nicht zu verändern brauchte, um sie im

Blick zu behalten. Sie hatte die eine Hand am Ruder, während sie mit der anderen ihre Handtasche festhielt,—Gregor konnte die Spiegelung des Leuchtfeuers in ihren Augen wahrnehmen: sie glänzten auf und erloschen. Sie friert, dachte Gregor, sie hat sich ganz in ihren Mantel verkrochen. Dann dachte er an den Kuß, an den nicht gegebenen und nicht erwiderten Kuß, und auf einmal überfiel ihn der Gedanke, daß es ein sehr schöner, ein vielleicht hinreißender und alles verändernder Kuß hätte sein können, ein Kuß, wie er seit Jahren nicht mehr in seinem Leben vorgekommen war. Ich habe etwas versäumt, dachte er, ich habe falsch gedacht und in Wirklichkeit habe ich mich vor diesem Kuß gefürchtet. Er bemerkte, daß Judith ihren Kopf ganz leicht wendete und ihn ansah, er war versucht, seinen Blick zu senken, aber in der gleichen Sekunde bezwang er das Gefühl, von dem er nun wußte, daß es Furcht war, und sie sahen sich an, noch immer spiegelte sich das Leuchtfeuer in ihren Augen, es glänzte auf und erlosch, ich kann die Farbe seiner Augen nicht erkennen, dachte Judith, ich stelle mir vor, daß sie grau sind, vielleicht von etwas hellerem Grau als sein Anzug, ich möchte ihn gern einmal bei Tag sehen, ich kenne nicht einmal seinen Namen, und Gregor fragte: Wie heißen Sie eigentlich?

Levin, sagte Judith, Judith Levin. Und Sie?

Grigorij, sagte er lachend.

Grigorij? fragte sie. Das ist ein russischer Name.

Ich komme aus Rußland, sagte Gregor.

Sind Sie ein Russe?

Nein. Ich bin ein Niemand, der aus Rußland ins Niemandsland geht.

Ich verstehe Sie nicht, sagte Judith.

Ich verstehe mich selber nicht, sagte Gregor. Ich habe einen falschen Paß und keinen Namen, ich bin ein Revolutionär, aber ich glaube an nichts, ich habe Sie beschimpft, aber ich bedaure, Sie nicht geküßt zu haben.

Ja, sagte sie, es war schade.

Ich habe alles falsch gemacht, sagte er.

Nein, erwiderte Judith, Sie retten mich doch.

Das ist zu wenig, dachte Gregor; man kann alles richtig machen und dabei das Wichtigste versäumen.

Sie hatten unwillkürlich so leise gesprochen, daß der Junge ihr Gespräch nicht verstehen konnte, und jetzt schwiegen sie, eine neue Bö stürzte sich auf das Boot, ein paar Tropfen sprühten über Judiths Gesicht, sie leckte sich das Wasser von den Lippen und spürte, daß es salzig war, sie blickte unverwandt auf Gregor und hatte ihre Angst vergessen, und im Glänzen und Erlöschen des Leuchtfeuerlichts in ihren Augen erkannte Gregor, daß sie für ihn verloren war.

Sie schraken auf, als der Junge aufgeregt „Hart Backbord" rief, Judith riß das Steuer herum, das Boot bäumte sich, von einem anhaltenden Windstoß breitseits getroffen, auf, als wolle es umschlagen, fing sich aber wieder und lag nun mit der Spitze gegen den Wind, in Richtung zum Land. Gregor hatte auf einmal Sicht auf das Haff und er sah ein starkes Licht, das im Eingang der Innenbucht erschienen war, im Süden, dort, wo die Stadt lag, ein Scheinwerferlicht, das Kurs auf den Leuchtturm hielt.* Das Polizeiboot, sagte der Junge, wir sind zu nahe an der Fahrrinne, rudern Sie, was Sie können! Gregor legte sich in die Riemen,* sie ruderten keuchend und gleichmäßig, aber sie kamen gegen die Böen so gut wie gar nicht vom Fleck, nur in den kurzen Pausen, in denen der Wind abflaute, schoß das Boot ein paar Meter vorwärts.

Das Licht bestand, wie das des Leuchtturms, aus einem unerträglich weiß brennenden Kern und einem Strahlenbündel, das sich kaum auffächerte,* sondern am Ende nur schwächer wurde, grau und durchsichtig. Gregor schätzte die Reichweite des Strahls auf etwa fünfhundert Meter, und wenn die Fahrrinne von der inneren Bucht zum Leuchtturm gerade verlief, dann befand sich ihr Boot höchstens dreihundert Meter von der Fahrrinne entfernt. Sie mußten also über zweihundert Meter zurücklegen, um sicher aus dem Bereich des Scheinwerfers herauszukommen. Das war, noch ehe das Polizeiboot herankam, bei diesem Wind unmöglich. Es näherte sich ziemlich rasch; in jeder Windpause war das Geräusch des starken Motors deutlicher zu hören. Der Scheinwerfer war zuerst geradeaus, auf die Fahrrinne gerichtet, dann begann er zu kreisen: sie leuchteten das Haff nach Schmugglern ab.*

Judith hatte sich auf der Bank im Heck zusammengekauert, sie klammerte sich an die Ruderpinne und spähte nach vorne, als könne sich in der Wasserfläche irgendeine Möglichkeit der Rettung auftun, ein Schatten vielleicht oder eine Düne, irgend etwas, das sie verbarg, ein Versteck, zu dem hin sie das Steuer hätte wenden können. Aber sie sah nur die bewegte Wasserwüste und das Land, das sie verlassen hatten, als dunkle Masse in der Ferne, und sie konnte nicht bemerken, daß es näher kam, es blieb dunkel, fern, keine Einzelheiten lösten sich aus dem breiten schwarzen Tuschestrich* der Uferwiesen heraus.

Was mache ich mit der Figur, wenn sie uns entdeckt haben? dachte Gregor, in ein paar Minuten werden sie uns mit ihrem Scheinwerfer aus der Nacht herausgegriffen haben, sie suchen ziemlich systematisch ab, und sie werden uns durch Lautsprecher auffordern, ranzukommen; es wäre zwecklos, ihnen nicht zu gehorchen, sie haben ein MG.* Ich habe eine ganz schwache Chance, daß mein Fall bei der Kriminalpolizei bleibt, wenn sie mich verhaftet haben, daß er ein Schmuggelfall bleibt, weil meine Papiere in Ordnung sind, aber wenn sie das Paket mit der Figur finden, ziehen sie sofort die politische Polizei* zu. Nutzlos, dieses Rudern, dachte er. Seine Handflächen schmerzten bereits, als würden sie verbrannt. Er überlegte, ob er das Bündel mit der Figur über Bord werfen sollte. Aber es wird schwimmen, dachte er, Holz schwimmt, und die Decke schwimmt auch, selbst wenn sie sich mit Wasser vollgesaugt haben wird, ist das Holz noch stark genug, sie oben zu halten, und sie werden auch das Bündel entdecken und es herausfischen und dann ist es ein ganz klarer politischer Fall. Der Genosse Klosterschüler ist ein politischer Fall. Er dachte fieberhaft nach, ob es irgendeinen Gegenstand im Boot gäbe, mit dem er das Paket zum Sinken bringen könne, aber es fiel ihm nichts ein. Und außerdem, dachte Gregor, haben wir ja das Mädchen an Bord, ich weiß, wie ihr Paß aussieht, und selbst, wenn sie ihn vorher zerreißen und wegwerfen würde, hätten sie am Morgen in Rerik heraus,* wer sie ist, weil das Foto in ihrem Zimmer liegt und der Wirt Anzeige macht. Wir werden alle geliefert sein, auch Knudsen, weil sie das Boot und den Jungen kennen; wenn Knudsen vergeblich auf uns wartet, weil sie uns jetzt erwischen, dann kann er nur zusehen, daß er nach drüben* kommt; wenn er schlau ist und die Lage erfaßt, bleibt er drüben: vielleicht ist Knudsen der einzige, der aus dieser Scheiße herauskommt, dachte Gregor. Aber Knudsen ist nicht schlau; Knudsen ist stur.

Obwohl sie mit dem Rücken zur Fahrrinne saß, konnte Judith auf einmal den Strahl des Scheinwerfers sehen. Er lag in einiger Entfernung links von ihrem gegen den Sturm ankämpfenden Boot auf dem Wasser. Judith erfaßte nicht sogleich, was diese Tatsache zu bedeuten hatte, aber sie konnte sehen, daß Gregor und der Junge voller Schrecken ihre Köpfe nach ihm wendeten. Der Junge schrie „Weiterrudern!", sie duckten sich tiefer in die Bewegung der Ruder, aber sie hielten ihre Gesichter auf den Zeiger des Lichtes gerichtet, der nun zu wandern begann. Er ruckte erst ein wenig weiter nach links, von ihnen weg, erfaßte ein Stück Land an der Südseite des Haffs, aber dann bewegte er sich langsam nach rechts. Er verlor das nach Westen ausweichende Land aus seiner Reichweite, es verschwand für Judiths Blicke, weil der weiße, sich nähernde Lichtstrahl alles um sich herum dunkel machte. Er näherte sich unerträglich langsam,

die Sekunden, in denen er über die Uhr aus Wasser und Zeit
kroch, reichten aus, um das Rudern der Männer und Judiths
Blick in Lähmung zu verwandeln, sie hörten das stoßende
Gebrüll des Windes nicht mehr. Er war wie ein Blick—starr,
grell und hypnotisierend ruhte er auf den erregten Wellen, die
sich unter ihm wanden wie unter einem Peitschenschlag. Judith
zog ihre Lippen im Vorgefühl eines Schreis nach innen, ihre
Hand klammerte sich um das Holz der Ruderpinne, als er so
nahe war, daß sie die sich überstürzenden Tropfen im Inneren der
Wellen unterscheiden konnte; zehn Meter entfernt, enthüllte
er die Struktur des Sturms mit dem kalten, weißen Degenstoß
eines Blitzschlags.

Und dann erlosch er. Sie befanden sich in der Schwärze,
die ihm folgte, wie im Inneren eines Donners. Die Männer
ließen die Ruder fahren, und sofort begann das Boot zu kreiseln.
Sie hatten Glück, weil im gleichen Augenblick der Wind
aussetzte, aber sie spürten es alle drei nicht, sie waren taub für das
Schweigen, weil sie das Gejohl des Windes sekundenlang nicht
vernommen hatten. Der Junge war der erste, der das Boot mit
ein paar Ruderschlägen wieder auffing. Er wies Judith an, auf
dem bisherigen Kurs zu bleiben, aber er bewegte sein Ruderpaar
nur noch mit kurzen Stößen, die gerade ausreichten, daß sie nicht
abgetrieben wurden, und Gregor machte es ihm nach. Ohne
ein Wort zu wechseln, warteten sie auf das Wiedererscheinen des
Lichtstrahls, und wirklich leuchtete er nach einer Minute wieder
auf, aber da war er schon weit rechts von ihrem Boot, er schwenkte
weiter nach rechts, nach Norden, tastete den Strand der Lotseninsel ab und blieb dann auf der Fahrrinne, weit draußen im
Haff, liegen. Aus irgendeinem Grunde hatte irgend jemand auf
dem Zollboot den Scheinwerfer für eine Minute abgeschaltet,
es gibt also etwas, was man Zufall nennen kann, dachte Gregor,
obwohl es nach dem Dogma der Partei keinen Zufall gibt,—
auch Willensfreiheit gibt es in ihm nicht, dachte er—, hinter dem

transparenten Schein eines Zufalls steht die undurchdringliche
Wand von Naturgesetzen, man hat für jeden Zufall die Gründe
zu suchen, die ihn zu einer Notwendigkeit machen, also hinter
dem Abschalten eines Scheinwerfers die Gründe, die einen Zoll-
polizisten bewegen, ihn in genau jenem Moment zu unter-
brechen, der genügt, eine Flucht zu retten, so daß auch die
Rettung dem Kausalitätsgesetz* gehorcht, der Kausalität der
Natur, wie die Partei sie lehrt, oder der Kausalität Gottes, wie die
Kirche sie lehrt, aber die Kausalität der Kirche erschien Gregor in
diesem Augenblick, während sie dem sich entfernenden Polizeiboot nachblickten, annehmbarer als die der Partei, weil sie,
wenn sie schon alles auf den Willen Gottes zurückführte,
wenigstens diesem die Freiheit ließ, seine Zufälle dort zu wirken,
wo sie ihm gerade angebracht erschienen. Judith schien etwas
Ähnliches zu überlegen, denn er hörte, wie sie auf einmal ganz
laut das Wort „danke" sagte.

Als das Polizeiboot, am Leuchtturm vorbei, hinter der Spitze
der Lotseninsel verschwunden war, sagte der Junge, sie könnten
es nun riskieren, direkt zur Halbinsel hinüber zu rudern. Sie
wendeten das Boot und schossen jetzt mit dem Wind dahin.
Immer wieder staunte Gregor darüber, wie seicht das Haff war,
sie fuhren über eine einzige Untiefe, stießen mit den Rudern
häufig auf den Grund, an manchen Stellen konnte das Wasser
höchstens einen halben Meter tief sein; wenn Gregor sich über
den Rand des Kahns beugte, schien der Sandgrund zu ihm empor
zu leuchten. Dann blickte er wieder auf Judith, die jetzt aufgerichtet, in einer sehr steifen Haltung auf ihrer Bank saß, so daß
er sich wunderte, bis sie sagte: Ich bin ganz klamm vor Kälte.

Gregor ließ die Ruder fahren und griff unter sich, nach dem
Bündel. Sie sagte: Nein, lassen Sie doch!, aber er hatte schon
begonnen, die Riemen zu lösen und die Figur aus der Decke zu
wickeln. Er stellte die Figur vorsichtig hinter sich, gegen die
Mittelbank, so daß sie ihn beim Rudern nicht behindern konnte,

dann stand er auf und legte Judith die Decke um die Schultern. Zum zweiten Mal in dieser Nacht hatte er ihr Gesicht sehr nahe vor seinen Augen, es hatte nun alle Verwöhntheit verloren, es war ein frierendes, bleiches Nachtgesicht geworden, ein unsicheres Gesicht, in dem die Jugend sich wie ein im Traum gestörter Vogel regte, scheu und geisterhaft.

Sie erreichten die Lotseninsel nach einer Viertelstunde. Sanft lief das Boot gegen den Sandstrand auf.

DER JUNGE

Er hatte während des letzten Teils der Fahrt unverwandt auf die Figur gestarrt, die an Gregors rudernden Rücken gelehnt stand. Seine Augen hatten sich die ganze Zeit über nicht von dem hölzernen Wesen zu lösen vermocht. Das ist 'ne Figur aus der Kirche, dachte der Junge, er war seit der Konfirmation nicht mehr in der Kirche gewesen, aber er wußte, daß die Figur aus der Kirche stammte, er konnte sich noch an sie erinnern, vom Kindergottesdienst her, und während der Konfirmation war er an ihr vorbeigegangen, als die Konfirmanden zum Abendmahl gingen, am Altar vorne. Darum hat also der Pfarrer heute mit Knudsen gesprochen, es dreht sich um die Figur, sie muß herausgeschmuggelt werden. Aber warum mußten Figuren aus Kirchen herausgeschmuggelt werden, das war doch zu komisch. Ich werde doch noch Knudsen fragen müssen, dachte der Junge, warum man die Figur von 'nem Jungen, der nichts weiter tut als lesen, nachts heimlich über die See schaffen muß. Und was hatten der Mann und das Mädchen dabei zu tun? Kamen sie beide als Passagiere mit? Na egal, dachte er, die Figur kommt auf jeden Fall mit, und wenn sie mitkommt, dann komme auch ich mit. Wenn sie rauskommt, dann komme ich auch raus. Er schob das Beiboot so weit wie möglich am Strand rauf und sicherte es mit der Vorleine an einem Pfahl.

KNUDSEN · GREGOR · JUDITH

Gegen zwei Uhr legte Knudsen die „Pauline" an einer Buhne auf der Seeseite der Lotseninsel fest. Er kannte die Steindämme genau; die Buhne, die sich auf der Höhe der Westseite des Wäldchens befand, reichte so weit ins Meer hinaus, daß er die breite, flach liegende Tjalk* bis an ihre Spitze heranbringen konnte. Während er die „Pauline" mit zwei Tauen unter Steinen festlegte,—er vermied es, mit dem Anker zu arbeiten, um die Leute auf dem Leuchtturm nicht aufmerksam zu machen —, sah er das Motorboot der Zollpolizei aus der Haffmündung herauskommen und Kurs nach Nordnordwest nehmen. Knudsen wußte, daß sie die See auf einer Linie zwischen Fehmarn und dem Reriker Haff abpatrouillierten; jenseits dieser Linie bestand wenig Gefahr, er mußte möglichst schnurgerade nach Norden, auf die dänischen Inseln zu halten, auf Lolland und Falster, im Schutz des dänischen Hoheitsgebietes konnte er dann zur schwedischen Küste hinüber und unter dem Land bis Skillinge kommen. Mit einem Boot, wie die „Pauline" es war, würde er am Nachmittag in Skillinge sein und am darauffolgenden Morgen in Rerik zurück ... Aber er würde zwei Nächte und einen Tag weg gewesen sein und er würde ohne Fische zurückkommen und alle würden sich wundern,—er mußte Glück haben, wenn die Sache nicht ins Gespräch kam. Es wäre leichter, den Götzen nur nach Falster hinüber zu schaffen, dachte Knudsen, aber aus irgendeinem Grunde wollte der Pfarrer ihn nach Schweden bringen lassen. Knudsen hatte keine Ahnung, wie sie ihn in Dänemark aufnehmen würden, wenn er mit einer Figur dort ankam, wahrscheinlich, dachte er, werden sie mich für einen Kirchenräuber halten; es bleibt mir nichts anderes übrig, als sie dem Propst von Skillinge zu bringen, der wird offenbar im

Bilde sein, wenn ich mit dem Ding ankomme. Schit, dachte Knudsen, das Ganze ist schit, und auf einmal kam ihm eine Idee: ich werde das Ding draußen über Bord werfen, überlegte er, das ist das Einfachste, und dann werde ich auf den Dorsch gehen und morgen mit einem Haufen Fische nach Hause kommen, zu Bertha, niemand wird mich irgend etwas fragen und ich werde in Ruhe leben.

Er kletterte auf der Buhne entlang, bis er den Strand erreichte, einen Steinstrand mit Sandflecken zwischen den groben Kieseln. Das Wäldchen stand dunkel gegen den Himmel, Knudsen wußte, daß es eigentlich kein Wald war, sondern nur eine eingezäunte Schonung aus niedrigen jungen Kiefern. In regelmäßigen Abständen spielte der Schein vom Leuchtturm über sie hinweg, aber er erfaßte sie nicht, sondern er traf erst weiter nach Westen auf den Strand der Halbinsel. Knudsen hatte den Platz gut gewählt. Er setzte sich auf einen Stein, kramte seine Pfeife hervor, zündete sie so an, daß seine Gestalt das aufflammende Zündholz gegen den Leuchtturm zu verbarg, und wartete. Er fühlte sich mit einem Male sehr gut, er spürte, wie ihn die Sorge verließ, während sich seine Idee in ihm verfestigte, es ist eine ganz einfache und praktische Idee, dachte er, ich muß betütert* gewesen sein, daß ich nicht schon früher darauf gekommen bin. Es ist nicht einmal Verrat, überlegte er, denn die Figur,—er nannte sie in seinen Gedanken jetzt nicht mehr den Götzen—, sollte ja nur vor den Anderen gerettet werden, und das würde sie schließlich auch, wenn man sie irgendwo still in die Ostsee versenkte. Die Ostsee war eine saubere Sache. Er konnte übrigens die Stelle ausmachen, wo er sie versenkte; vielleicht konnte man die Figur später, wenn es die Anderen nicht mehr gab, wieder herausholen—er mußte eine Stelle wählen, die nicht so tief war, daß ein Taucher sie nicht erreichen konnte. Wenn es aber die Anderen immer geben würde,—und Knudsen konnte sich eine Welt ohne die Anderen nicht mehr vorstellen—, dann war es schließlich gleichgültig, ob sich dieses Stück Holz in einer Kirche am Ende der Welt befand oder auf dem Grunde der See. Die Beklommenheit wich von Knudsen, während er nachdachte und rauchte; fast vergaß er seine Abneigung gegen Gregor, als er überlegte, wie leicht er nun aus der Sache herauskam.

Die See vor ihm war dunkel. Das Zollboot war längst verschwunden, und keine Laterne eines Fischereifahrzeugs war zu sehen. Der Wind trieb die Wellen mit Wucht an den Strand, wo sie in einem harten Aufrauschen zerstoben, aber Knudsen fühlte, daß der Sturm nachlassen würde; schon jetzt schöpfte die Stille zwischen den Windstößen längeren Atem. Dafür überzog sich der Himmel mit einer zusammenhängenden Wolkendecke.

Knudsen stand auf, steckte die Pfeife ein und wandte sich um, als er Geräusche hörte. Er sah Gestalten, die sich am Rande der Kiefernschonung entlang auf ihn zu bewegten, zuerst den Jungen, dann Gregor, aber neben Gregor ging eine Frau; noch ehe Knudsen sich seine Überraschung klar ins Bewußtsein bringen konnte, waren sie heran.

Hallo, sagte Gregor, auf dich kann man sich verlassen.

Er hatte die Figur, gleich nachdem sie drüben, auf der anderen Seite der Halbinsel angekommen waren, wieder in die Decke verpackt. Nun hielt er das Paket Knudsen hin. Hier hast du den Burschen, sagte er. Bring ihn gut hinüber!

Knudsen rührte sich nicht. Er hielt seine Augen auf Judith gerichtet.

Wer ist denn die? fragte er. Was tut sie hier?

Noch ein Passagier, sagte Gregor mit gespielter Munterkeit. Ein jüdisches Mädchen, fügte er hinzu. Sie muß unbedingt nach drüben.

So, sagte Knudsen höhnisch, sie muß unbedingt nach drüben. Er wandte sich ab und sagte zu dem Jungen: Nimm das Paket und komm! Wir gehen.

Gregor war mit einem Satz bei dem Fischer und packte ihn am Arm.

Soll das heißen, daß du sie nicht mitnehmen willst? fragte er.

Knudsen blieb stehen und schüttelte Gregors Arm ab.

Ja, denk mal an,* sagte er, das soll es heißen.

Gregor ging zu dem Jungen hinüber und gab ihm das Paket. Es fiel ihm auf, daß der Junge es mit einer sorgfältigen, fast ehrfürchtigen Bewegung abnahm. Dann war er wieder bei Knudsen.

Wieviel Zeit soll ich dir lassen, fragte er, bis du dir überlegt hast, daß du das Mädchen mitnimmst?

Sie ist wohl dein Mädchen? fragte Knudsen. Er fühlte wieder die Wut, die er auf Gregor hatte. Er wußte nicht, daß es die Wut auf die Partei war, die er an Gregor ausließ. Gerade in diesem Abtrünnigen repräsentierte sich für ihn die Partei, die ihn, Knudsen, im Stich gelassen hatte.

Lassen Sie ihn doch! sagte Judith zu Gregor. Sie dürfen ihn nicht zwingen!

Halten Sie den Mund! sagte Gregor grob. Das ist eine Angelegenheit zwischen mir und diesem Mann.

Laß doch das Theater!* sagte Knudsen. Du brauchst dein Mädchen nicht mit Sie anreden.

Hör mal, sagte Gregor, ob du es glaubst oder nicht: sie ist nicht mein Mädchen. Sie ist eine Jüdin, und sie sind hinter ihr her. Ich kenne sie seit drei Stunden. Ich habe sie unten am Hafen auf- gegabelt, nachdem sie versucht hatte, mit dem Schweden wegzu- kommen.

Na wenn schon, sagte Knudsen. Drei Stunden sind eine lange Zeit. Wahrscheinlich hast du dich in sie verknallt.* Er sagte es aufs Geratewohl und er konnte in der Nacht, die sie umgab, nicht die Röte in Gregors Gesicht sehen. Komm! sagte er noch einmal zu dem Jungen, es wird höchste Zeit.

Mensch, sagte Gregor, wir müssen ihr helfen.

Er spürte, daß Judith bereits aufgegeben hatte. Sie hatte sich abgewandt und war ein paar Schritte den Strand hinauf gegangen.

Das hast du dir fein ausgedacht, sagte Knudsen. Wenn ich das Mädchen an Bord nehme, dann gibt's ja eigentlich keinen Grund, daß ich dich nicht auch noch mitfahren lasse,—so hast du dir es wohl ausgedacht, was?

Gregor fühlte, daß er diesen in seinen Enttäuschungen erstarrten Fischer nicht überzeugen konnte. Trotzdem sagte er: Ich fahre auf keinen Fall mit. Ich brauch' dich nicht, um rauszukommen.

Dann nimm doch du sie mit, erwiderte Knudsen, wenn du dich so stark fühlst!

Einen Augenblick lang hing Gregor diesem Gedanken nach. Vielleicht wäre es das Beste, dachte er, aber es wäre auch das Gefährlichste. Und außerdem will ich allein bleiben. Ich will allein raus und draußen will ich allein sein, allein wie dieser Bursche aus Holz, so allein will ich lesen wie er, und so allein wie er will ich aufstehen und fortgehen, wohin ich will, wenn ich genug gelesen haben werde.

Wenn ich dieses Frauenzimmer mitnehme, dachte Knudsen, dann ist meine Idee beim Teufel. Die Figur kann ich über Bord werfen, aber das Mädchen nicht. Er sah seinen Kutter draußen auf dem dunklen Wasser sich bewegen und er dachte: Verdammt, ich will mein Boot behalten, ich will Fische heimbringen, ich will bei Bertha bleiben und warten, bis die Anderen verschwunden sind und die Partei wiederkehrt. Und wenn die Anderen bleiben und die Partei niemals mehr zurückkommt, dann ist es erst recht sinnlos, wenn ich mein Leben und mein Boot und Bertha für irgendein jüdisches Mädchen oder für einen Heiligen aus der Kirche aufs Spiel setze. Und schon gar nicht für das, was dieser Kerl, der sich Gregor nennt, im Sinn hat, eine Aktion, die mit der Partei gar nichts zu tun hat, eine Aktion, die sich ein Deserteur ausgedacht hat, eine ganz private Sache.

Als Knudsen sich zum Gehen wenden wollte, schlug Gregor zu. Er traf Knudsen vor die Brust, und der Fischer taumelte zurück und hielt sich nur mühsam auf den Beinen. Er war so überrascht, daß er einige Sekunden brauchte, um sich zur Gegenwehr zu sammeln.

Gregor ließ ihm dazu Zeit. Er hatte sich, während sie draußen auf dem Haff gerudert hatten, alles genau überlegt und er hatte sich entschlossen, Gewalt anzuwenden, wenn Knudsen sich weigern würde, das Mädchen mitzunehmen. Er verstand nichts von Booten, aber er kannte sich mit Motoren aus und er wußte, daß es nicht schwer war, einen Bootsmotor anzuwerfen und leicht, ein Boot zu steuern. Der Junge konnte sicherlich ein Boot steuern, er hatte es bestimmt schon oft getan, und notfalls mußte man Knudsen niederschlagen und den Jungen und das Mädchen allein auf die Fahrt schicken. Und wenn der Junge nicht mitmachte, dann mußte er, Gregor, mit aufs Boot und den Jungen zwingen, seine Befehle auszuführen.

Knudsen kam heran. Er hatte seine Mütze verloren, und Gregor sah sein kurzes Haar und die harten Falten auf der Stirne.

Du Schwein, sagte er zu Gregor, du dreckiges Schwein!

Gregor spürte Knudsens Härte. Der Fischer hatte Arme, die nur aus zähen Muskeln bestanden; sie umklammerten Gregor wie eiserne Bänder. Aber Gregor war der Jüngere, Knudsen konnte nicht recht weiter kommen als bis zu diesem Griff. Während Gregor sich still hielt und gegen die Klammer spannte, sah er, wie Judith ihre Hände gegen den Mund preßte, als wolle sie einen Schrei unterdrücken, und er hörte ihren Ruf: Nicht! Das dürfen Sie nicht!

Dann hatte er den Ring gesprengt* und fing an zu boxen. Er wußte, daß er ein guter Boxer war und daß Knudsen keine Chance hatte, außer im Ringen, so daß er jedesmal einen Schritt zurücktrat, wenn Knudsen ihn unterlaufen wollte.* Er schlug ihm ein paarmal zwischen die Augen und ans Kinn, und einmal, als Knudsen ihn doch wieder gefaßt hatte, klopfte er ihm leicht auf die Nieren, so daß Knudsen in die Knie ging.

Komm mir doch zu Hilfe! sagte Knudsen zu dem Jungen.

Gregor wartete, und Knudsen erhob sich stöhnend. Die
Nacht war plötzlich sehr still, Judith stand in einiger Entfernung,
das Gesicht in ihren Armen verborgen, ihr Mantel leuchtete, und
der Junge rührte sich nicht. Er hielt das Paket mit der Figur
umklammert und er sah auf die beiden Männer, mit einem
Ausdruck düsterer Neugier in seinem hellen Gesicht.

Dann nahm Gregor alle Kraft zusammen und brachte einen
linken Haken an, der Knudsen umwarf. Er stürzte auf die
Steine und blieb liegen, Blut rann ihm dünn aus der Nase und
dem Mund. Nach einer Weile gelang es ihm, sich auf einen
Arm zu stützen und seinen Oberkörper aufzurichten.

Gregor ging auf den Jungen zu. Wie ist es, fragte er, kannst
du das Boot auch allein nach Schweden bringen? Es fiel ihm auf,
daß er den Jungen unwillkürlich wie einen Komplizen behandelte,
—keinen Moment lang hatte er sich darüber gewundert, daß der
Junge Knudsen nicht beigesprungen war. Er ertappte sich dabei,
zu hoffen, der Junge würde die Frage verneinen. Vielleicht
würde er nein sagen, und dann hatte er, Gregor, einen Grund
mitzufahren. Mit seiner Hilfe würde der Junge die Hinfahrt
schaffen. Aber natürlich war diese Annahme falsch gewesen;
der Junge sagte: Klar bring ich die „Pauline" allein rüber. Das
schaff' ich schon.*

Aus der Traum,* dachte Gregor, es soll nun mal nicht sein.
Also dann ab mit euch, sagte er zu dem Jungen und Judith. Er
hatte sich zu Judith hin gewendet, die sich seit dem Beginn des
Kampfes nicht von der Stelle gerührt hatte und nun auf Knudsen
starrte.

Keine Angst, sagte Gregor, ich hab' ihn nicht lebensgefährlich
verletzt. Wenn Sie weg sind, kümmere ich mich um ihn.—
Aber Sie müssen jetzt weg! fügte er hinzu, Sie müssen weit
draußen sein, ehe es dämmert; wir haben schon zuviel Zeit
verloren.

Judith schüttelte den Kopf. Nein, sagte sie, ich kann dem

Mann nicht sein Boot wegnehmen.   So geht es nicht, wie Sie es sich gedacht haben.

Knudsen nahm die Vorgänge nur dumpf in sich auf, er war noch halb betäubt, aber die Szene drang doch in sein von der Angst um die Tjalk gejagtes Bewußtsein ein.   Und während er etwas Blut auf die Steine spie, erfüllte ihn auf einmal Verwunderung.

Willst du wirklich nicht mitfahren? fragte er Gregor.

Nein, sagte Gregor, ich hab' es dir doch gesagt.   Es ist gelogen, dachte er, ich möchte mitfahren.

So, sagte Knudsen.   Ein Gedanke suchte sich in seinem Gehirn zu formen, aber er konnte ihn nicht fassen.   Statt dessen sprach er ihn aus.

Dann will ich das Boot übernehmen, sagte er, das Mädchen kann mitfahren.

Mein Gott, dachte Gregor, dieser Mann hat mich gehaßt. Alles, was er seit heute nachmittag getan hat, seitdem er mich in der Kirche getroffen hat, ist eine Folge seines Hasses gegen mich gewesen.   Er ist dageblieben, er hat sich entschlossen, den kleinen Mönch mitzunehmen, weil er mich haßte.   Er hat sich auf das gefährliche Abenteuer eingelassen, um mir nicht die Möglichkeit zu geben, ihn zu verachten.   Er wollte mir zeigen, daß er jeden nur denkbaren Mut aufbringt, um mir zur gleichen Zeit zeigen zu können, daß er entschlossen ist, keinen Finger für mich zu rühren.   Warum hat er mich so gehaßt? dachte er. Was habe ich ihm getan?   Er hat mich gehaßt, er haßt mich jetzt nicht mehr, weil ich die Angelegenheit auf die Spitze getrieben habe.   Wenn ich einen Meter vor dem Ziel versagt hätte, wenn ich zu dem Jungen gesagt hätte, ich fahre mit, dann hätte er mich gehaßt bis ans Ende seiner Tage.

Der hochnäsige Kerl, dachte Knudsen, der verdammte hochnäsige Kerl.   Der Kerl mit seinem ZK-Hochmut.   Dabei ist er nichts weiter als ein beschissener kleiner Deserteur, ein Bursche,

der kneift. Aber ich kneife ja auch. Und er ist jung; vielleicht
müssen die Jüngeren so kneifen wie er. Wenn die Partei
schon im Eimer ist,* dann müssen die Jungen so kneifen wie er,
und die Älteren so wie ich. Dann ist es besser, wir machen
solche Sachen wie die, zu der er mich heute gezwungen hat,
Sachen ohne die Partei, private Sachen. Knudsen sah auf die See
hinaus, in die Dunkelheit, in der er nichts erblicken konnte, kein
Licht, und dann auf sein Boot, das in ein paar Minuten ein
jüdisches Mädchen und ein seltsames Wesen aus Holz in die
Dunkelheit ohne Licht tragen würde.

Er erhob sich mühsam vom Boden. Du kannst mitfahren,
wenn du willst, sagte er zu Gregor.

Besten Dank, sagte Gregor höhnisch. Ich pfeife auf dein
Angebot.

Sie sahen sich stumm an. Dann hob Knudsen seine Mütze
vom Boden auf und ging. Als er an dem Jungen vorbeikam,
blickte er ihn finster an, aber er sagte nichts. Der Junge folgte
ihm, das Paket unter dem Arm.

Los! sagte Gregor zu Judith. Es ist soweit.

Sie bewegte sich noch immer nicht vom Fleck, aber sie
machte eine Bewegung mit der Hand, eine stumme Aufforderung
an Gregor, mitzukommen. Aber Gregor schüttelte den Kopf.
Er ging auf sie zu, packte sie an der Schulter und stieß sie fast in
die Richtung der Buhne. Ihre Bewegungen spielten sich wie
eine Pantomime hinter Knudsens Rücken ab.

Dann sah Gregor die drei Gestalten, wie sie auf der Buhne
entlang balancierten und wie sie das Boot erreichten und die
Taue losmachten. Er konnte erkennen, daß Knudsen ins
Steuerhaus trat und der Junge nach unten ging und Judith sich
auf eine Taurolle am Mast setzte. Der Motor begann zu
tuckern, das Geräusch klang unerträglich laut und hoch in der
nur noch leise singenden Windnacht, Gregor duckte sich unwillkürlich zusammen und blickte besorgt auf den Leuchtturm,

als könne das Licht den Ton hören. Aber der Strahl des Leuchtturmes wanderte unberührt seine Bahn von Osten nach Westen,
erlosch und setzte nach einer Weile im Osten neu an. Gregor
stellte fest, daß Knudsen, auch als er schon weiter draußen war,
seine Bordlichter nicht einschaltete, und es dauerte nicht lange,
bis er das Boot nicht mehr erkennen konnte. Die See und die
Nacht waren zu einer Wand aus finsterer Zeit geworden, an
deren Fläche nur die Uhr des Motorengeräuschs leiser und leiser
tickte.

Gregor, auf einmal allein, spürte seine Müdigkeit. Er fand
am Strand eine trockene, gegen den Westwind geschützte
Sandkuhle,* in die er sich legte. Er schaufelte mit den Händen
den Sand über sich wie eine dichte Decke, so daß er zuletzt ziemlich
warm lag, wenn er sich nicht bewegte. Ehe ihn das monotone
Geräusch der Brandung einschläferte, blickte er eine Zeitlang in
den Himmel, an dem nun kein Stern mehr zu sehen war. Er
wachte davon auf, daß er fror. Die Uhr zeigte auf ein paar
Minuten über fünf. Von Dämmerung konnte noch keine Rede
sein, aber in das absolute Dunkel hatte sich ein fahler Ton geschlichen, etwas Graues war in die Finsternis eingetreten: Nebel.
Gregor erhob sich und schüttelte den Sand aus seiner Kleidung.
Der Nebel war nicht sehr stark, aber selbst wenn er sehr dicht
gewesen wäre, hätte Gregor von hier aus noch immer die
Position des Leuchtturms erkennen können; immer noch
bewegte sich der Lichtstrahl, von der See kommend, über die
Halbinsel und erlosch.

Gregor wußte, in welche Richtung er zu gehen hatte. Er hielt
sich an den Strand und bewegte sich nach Westen. Nachdem
er eine halbe Stunde gegangen war, wurde es heller, graues
Licht breitete sich aus, auch der Nebel verschwand. Plötzlich
kam der Lichtfinger vom Leuchtturm nicht wieder, eine
gleichmäßige, diffuse, nüchterne Helligkeit breitete sich aus, die
Dämmerung eines trüben Herbstmorgens. Gregor sah sich um

und stellte fest, daß er sich auf einer weiten Kieselfläche mit Flek-
ken aus hohem, dürrem Gras dazwischen befand, die mit einem
Strandstreifen an das Meer grenzte. In der Ferne, auf der
anderen Seite, konnte er das Haff sehen, das jetzt unbewegt und
bleifarben dalag, denn der Wind hatte schon lange aufgehört.
Und dann sah Gregor die Vögel. Überall auf der Kieselebene saßen
helle Vögel, Vögel mit weißem Gefieder oder Vögel mit ocker-
farbenem und hellbraunem und silbergrauem Gefieder, nur selten
einmal leuchtete eine schwarze Feder metallisch in den seidenen
Schminken aus Milchweiß und Schimmelgrau,* aus dem Braun
von Zimt und hellen, entschälten Nüssen, aus Elfenbeingelb und
dünnem Teegelb, aus Spiegelsilber und dem Silber wilder, ferner,
nördlicher Gewässer. Die Vögel saßen in kleinen Gruppen
zusammen, sie hatten die Köpfe ins Gefieder gesteckt und
schliefen. Gregor ging zwischen den Vögeln hindurch,
zwischen den Gruppen der schlafenden Wildgänse und Wildenten
und Möwen, zwischen Vögeln, die sich auf der Wanderschaft
befanden, und Vögeln, die hier bleiben und sich in den Winter-
stürmen wiegen würden.

Er kam an einen breiten Wasserlauf, eine Art Priel,* und es
wurde ihm klar, warum Knudsen es für unmöglich erklärt hatte,
die Lotseninsel in der Nacht zu Fuß zu erreichen. Einer, der
sich nicht auskannte, hätte in der Dunkelheit keine Furt durch
den Priel und die Gewässer, die ihm folgten, finden können;
Gregor sah sie in der Ferne schimmern. Er sah, daß der Priel das
Haff mit dem Meer verband, und ging an ihm aufwärts, in der
Richtung zum Haff. Er fand eine Stelle, an der er bis zum jen-
seitigen Ufer den Grund erkennen konnte, zog seine Schuhe aus
und krempelte die Hosen hoch. Als er aufsah, erblickte er die
Türme von Rerik in der Ferne. Von hier aus gesehen waren sie
keine schweren roten Ungeheuer mehr, sondern kleine blasse
Klötze im Grau des Morgens, feine quadratische Stäbe, blaugrau
am Rande des Haffs. Aber im Osten hatte sich zwischen das

Meer und den einförmigen Himmel ein scharlachroter Streifen geschoben. Er war die einzige Farbe in einer farblosen Welt, in einer Welt aus grauem Kieselstrand und schlafenden Vögeln, aus der Erinnerung an einen schwarzen Mund und an ein seltsames, rätselhaftes Wesen aus Holz. Wenn das Morgenrot verschwunden ist, wird es zu regnen beginnen, dachte Gregor, es ist nicht einmal imstande, den Morgen zu färben. Das graue Morgenlicht erfüllte die Welt, das nüchterne, farblose Morgenlicht zeigte die Gegenstände ohne Schatten und Farben, es zeigte sie beinahe so, wie sie wirklich waren, rein und zur Prüfung bereit. Alles muß neu geprüft werden, überlegte Gregor. Als er mit den Füßen ins Wasser tastete, fand er es eisig.

DER JUNGE

Der Junge saß wieder im Cockpit, Knudsen hatte, seitdem sie fuhren, kein Wort mit ihm gesprochen, aber der Junge dachte nicht an Knudsen, sondern er saß voller Staunen da und dachte: ach so, das ist 'ne politische Sache. Es war noch dunkel und er merkte, daß Knudsen sich mit dem Boot vorsichtig durch die Sperrzone durchtastete. Das Mädchen ist 'ne Jüdin, dachte der Junge, er wußte von Juden nur das, was sie ihm in der Schule erzählt hatten, aber er verstand plötzlich, daß Juden so was Ähnliches waren wie Neger, das Mädchen spielte hier an Bord genau die gleiche Rolle wie der Neger Jim für Huckleberry Finn,* sie war jemand, den man befreien mußte. Der Junge war fast ein wenig neidisch: man mußte also 'n Neger oder 'n Jude sein, damit man einfach abhauen konnte; beinahe dachte er: die haben es gut. Und plötzlich kam ihm eine Erleuchtung, ich werd' mich als Politischen ausgeben, überlegte er, wenn wir drüben sind in Dänemark oder Schweden, wenn man 'n Politischer ist, wird man nicht zurückgeschickt, 'n Junge, der es zu Hause einfach nicht mehr aushält, darf nicht flüchten, aber 'n Politischer darf. Ich werd' ihnen sagen, daß ich politisch bin und daß ich meinen Namen nicht nennen darf und vielleicht werden sie nichts dagegen haben, wenn ich dann Heuer auf einem ihrer Frachter nehme, und dann komme ich vielleicht nach Amerika rüber oder nach Sansibar.

Knudsen schickte das Mädchen runter, weil es hell wurde und er nicht wollte, daß es auf Deck herumsaß und gesehen wurde, und es setzte sich neben den Jungen. Sie ist höchstens drei Jahre älter als ich, dachte der Junge, er fing wieder an, an seiner Köderschnur zu arbeiten, und nach einer Weile fragte er: Warum muß er nach drüben? Er deutete auf das Paket mit der Figur. Himmel, dachte Judith, wie soll ich ihm das erklären? Hast du ihn dir genau angesehen? fragte sie.

Ja, erwiderte der Junge.

176

Er sieht doch aus wie einer, der alle Bücher liest, oder?

Er liest nur die Bibel, sagte der Junge. Deswegen war er doch in der Kirche aufgestellt.

In der Kirche, ja, da las er die Bibel. Aber hast du ihn vorhin im Boot gesehn?

Ja.

Da las er ein ganz anderes Buch, fandest du nicht?

Was für eins?

Irgendeins, sagte Judith. Er liest alles, was er will. Weil er alles liest, was er will, sollte er eingesperrt werden. Und deswegen muß er jetzt wohin, wo er lesen kann, soviel er will.

Ich lese auch alles, was ich will, sagte der Junge.

Sag es lieber niemand! meinte Judith.

Der Junge hatte gar nicht hingehört. Er sagte: Und deswegen will ich auch raus. Ich will auch drüben bleiben und verschwinden.

Hör mal, sagte Judith erschrocken, du willst doch hoffentlich den Mann dort oben nicht im Stich lassen.

Knudsen? fragte der Junge. Der ist mir doch egal, fügte er hinzu.

Das kannst du nicht! Judith geriet in Erregung. Stell dir vor, wenn er ohne dich zurückfahren muß, dann ist er doch geliefert. Was soll er ihnen denn erzählen, wo du geblieben bist? Meinst du, er könnte ihnen erzählen, du seist über Bord gefallen?

Der Junge schüttelte den Kopf.

Wenn du nicht mit zurückkommst, so werden sie wissen, daß er im Ausland gewesen ist, und sie werden ihn verhaften, sagte Judith.

Meinetwegen, dachte der Junge, er ist nur ein Erwachsener. Es ist besser, sie verhaften ihn, als daß ich noch zweieinhalb Jahre mit ihm Küstenfischerei machen muß.

Er ist ein tapferer Mann, sagte Judith, du mußt ihm helfen!

Vater war auch ein tapferer Mann, dachte der Junge, aber niemand hat ihm geholfen. Er ist ein Säufer gewesen, das ist alles, was sie von ihm sagen. Das einzige, was sie von mir wissen, ist daß ich der Sohn eines Säufers bin, der Sohn eines Mannes, der sein Boot verloren hat,

*weil er stinkbesoffen war. Keinem von ihnen bin ich zu Dank
verpflichtet, der Junge aus Holz da nahm auch auf niemand Rücksicht,
er haute auch ganz einfach ab und alles, was er zurückließ, war ihm
egal, ich will es genau so machen wie er, dachte der Junge, und: so eine
Gelegenheit kommt nie wieder.*

HELANDER

Meine Träume sind immer trostlos, stellte Helander fest, als er wieder einmal erwachte, gegen vier Uhr morgens, —er schlief diese Nacht nur in kurzen, minutenlangen Intervallen. Der Traum hatte sich in einem öden kleinen Hotel abgespielt, in einem Zimmer mit abblätternden Tapeten im obersten Stock, dort hatte er gewohnt und, als er die schmutzigen Vorhänge aufzog, ein Stockwerk tiefer die Frau gesehen, die, indem sie sich gerade noch mit einer Hand am Balkongeländer festhielt, lautlos und starr über dem Abgrund der Straße gehangen hatte, indes von unten eine Gruppe Menschen zu ihr emporblickte, ebenso lautlos wie die Selbstmörderin, aber die Augen voll höhnischer Neugier. Das Schlimmste an meinen Träumen ist die absolute Trostlosigkeit der Räume, in denen sie sich abspielen, dachte Helander, das Hotel, das Zimmer und die Straße befinden sich in einem Totenreich, und doch beginnt dieser Traum immer mit einer Erinnerung, mit der Erinnerung an ein Hotel, ein Zimmer, eine Straße in Lille,* in dem ich ein paar Wochen gewohnt habe, damals, als sie mich nach der Amputation aus dem Lazarett entließen, ehe sie mir den Marschbefehl zum Ersatztruppenteil* gaben, wo ich den Abschied bekam. Das Hotel in Lille hatte sich in seine Träume eingenistet, die Trostlosigkeit von Lille, die Bordellstraßen, durch die er einmal gegangen war, in denen die Frontsoldaten und Etappenschweine* in Schlangen vor den Häusern anstanden, aber die Realität war nicht so trostlos gewesen wie der Traum, der immer wiederkehrte. Ich habe wiederkehrende Träume, dachte Helander, während er gegen vier Uhr morgens in seinem Studierzimmer auf dem Sofa lag, und der erste wiederkehrende Traum, der sich in mir niedergelassen hat, ist der Traum von dem Hotel in Lille gewesen, in dem

179

der Krieg für mich zu Ende ging. Darnach war die Fortsetzung des unterbrochenen Theologiestudiums gekommen, die Verlobungszeit mit Käthe, das Pfarramt, die kurze Ehe mit Käthe, ihr und des Kindes Tod im Kindbett, und dann die lange Askese und das lange Pfarramt und nichts weiter. Immer habe ich auf irgend etwas gewartet, aber es kam nicht. Ich habe oft unter der Askese gelitten, aber wenn ich ehrlich bin, so war es besser, allein zu sein. Ich habe keine Frau mehr getroffen, die ich hätte heiraten wollen, und so war es besser, allein zu sein und ein bißchen unter der Askese zu leiden. Ich hatte ja die Gemeinde, manchmal wurde ich wirklich gebraucht, und nicht nur an den Betten der Sterbenden, meine Predigten waren nicht schlecht, und bei den Skat- und Rotsponabenden im Hamburger Hof* war ich auch nicht schlecht, alles in allem war ich ein Kerl, die Askese hat mich nicht verkorkst.* Auf einmal ertappte er sich dabei, daß er von sich in der Vergangenheitsform dachte.

Er erinnerte sich, daß er noch einen anderen Traum hatte, der immer wiederkehrte—den Traum von der Schaukel in Norwegen. Er saß in einer riesigen Schaukel, die irgendwo in den Wolken über einem Fjord angebracht war, er blickte auf eine dunkle Landschaft aus Gebirgen und Meer und in den Fjord hinab, und die Schaukel begann zu schwingen, hin und her, hin und her. Dieser Traum hatte seinen Ursprung nicht in einer Realität, der Pfarrer war nie in Norwegen gewesen, vielleicht entsprang er einem Wunsch, denn er wäre immer gerne einmal nach Norwegen gereist, aber aus irgendwelchen Gründen war die Reise nie zustande gekommen, so daß er dazu verurteilt war, über einem Traum-Norwegen zu schaukeln. Das einzige, was dieser Traum mit dem Traum von Lille zu tun hatte, war, daß auch er so trostlos war wie das Schlafgesicht von der Selbstmörderin. Auch die Schaukel schwang in einem Norwegen, das ein Totenreich war. Diese wiederkehrenden Träume, dachte Helander, sind immer meine stärksten Gottesbeweise gewesen,

denn immer, wenn ich aus ihnen aufwachte, war mein erster Gedanke, noch im Halbschlaf: ich habe in einer Welt gelebt, die erlöst
werden muß. Einmal hatte er monatelang die Schriften Freuds*
studiert, um eine Erklärung für seine Träume zu finden, und er
hatte festgestellt, daß dieser Mann, den er von da an bewunderte
und liebte, in der Tat die Geheimnisse im Vorhof der Seele*
gelöst hatte: Helanders Träume waren Symbole unterdrückter
Triebe, Bilder von Liebe und Tod. Aber Freud lieferte ihm
keine Erklärung für die Stimmung seiner Träume; denn ihre
Handlung war nicht so wichtig wie ihre Stimmung, die ihn in
eine Welt aus Ödnis,* Schmutz, Dämmerung, Kälte und Hoff-
nungslosigkeit einschloß und zuletzt in eine furchtbare Leere, so
daß er sogar noch im Traum selbst den Gedanken vollzog:
wenn es eine Hölle gibt, so muß dies die Hölle sein. Die Hölle,
das war nicht ein Raum aus Hitze und Feuer, ein Raum, in dem
man brannte,—die Hölle war der Raum, in dem man fror, sie
war die absolute Leere. Die Hölle war der Raum, in dem Gott
nicht war.

Helander dachte: ich möchte nicht in die Hölle kommen,
während er im Dunkel auf dem Sofa seines Studierzimmers lag.
Sein Beinstumpf schmerzte jetzt fast gar nicht, er spürte, seitdem
er sich von der Prothese befreit und auf das Sofa gelegt hatte, nur
einen kleinen dumpfen Druck, der leicht zu ertragen war. Er
hatte sich langsam, fast zentimeterweise aus der Kirche zum
Pfarrhaus hinübergeschleppt, im Flur war die Haushälterin
angstvoll aus ihrem Zimmer gekommen und hatte ihn gefragt,
ob sie ihm helfen solle, aber er hatte sie abgewiesen und war
allein nach oben gegangen, er hatte sie noch eine Weile unten
rumoren gehört, ehe es still wurde, es war spät gewesen, gegen
ein Uhr, und er hatte beschlossen, das Morgengrauen in den
Kleidern zu erwarten. Nur die Prothese hatte er abgelegt, und
er hatte gedacht: ich werde sie nie mehr anlegen.

Die Tabletten, die er genommen hatte, versenkten ihn wieder

in Schlaf, aus dem er diesmal erst aufwachte, als es schon hell war. Er sah auf die Uhr: sie zeigte auf sechs. Das Licht war trüb und grau, die Wand des Seitenschiffs der Georgenkirche stand schmutzigrot wie eine Fabrikwand vor dem Fenster. Der Pfarrer griff nach den alten Krücken, die er sich bereitgestellt hatte, er richtete sich auf, zog sich an dem Mittelgriff der einen Krücke hoch und schob sich die gepolsterten Stützen unter die Achseln. Dann schwang er sich mit zwei Bewegungen zum Fenster hin. Er spähte hinaus und stellte fest, daß das Rad noch immer an der Pfarrhauswand lehnte. Während er wartete, spürte er, daß die Wirkung der Tabletten nachgelassen hatte, die Wunde schmerzte wieder stärker; weil die Prothese nicht mehr auf sie drückte, war der Schmerz offen und brennend.

Nach einer Weile sah er den Mann, der sich Gregor nannte, an den Häusern entlang kommen. Der junge Mensch benimmt sich wunderbar unauffällig, dachte Helander, wenn ich nicht wüßte, welche Bedeutung er hat, würde er mir nicht auffallen, nicht einmal in dieser Stadt, die so klein ist, daß jeder auf jeden aufpaßt und jeder, der neu ist, von tausend Augen registriert wird. Der hier ist nicht neu, er ist irgendwer,* ein magerer, unauffälliger Mensch in einem grauen Allerweltsanzug* mit Fahrradklammern an den Hosen, ein Aushilfsbote von der Post oder der Sohn eines Installateurmeisters, der schon morgens raus mußte, um eine Wasserleitung zu flicken, so also sehen in unserer Zeit die Boten und die Söhne aus, die Boten der Rettung und die Söhne der Ideen: man kann sie nicht unterscheiden. Man konnte sie nicht erkennen, außer in ihren Handlungen. Sie sind keine Persönlichkeiten, dachte Helander, sie haben den Ehrgeiz, das Richtige zu tun und nicht aufzufallen. Sie glauben an nichts mehr, dieser junge Mensch glaubt nicht mehr an seine Partei und er wird niemals an die Kirche glauben, aber immer wird er bemüht sein, das Richtige zu tun, und weil er an nichts glaubt, wird er es unauffällig tun und sich aus dem Staub machen, wenn er es getan hat. Was aber treibt ihn an, das Richtige zu tun? fragte sich der Pfarrer, und er gab sich selbst die Antwort: Das Nichts treibt ihn an, das Bewußtsein, in einem Nichts zu leben, und der wilde Aufstand gegen das leere, kalte Nichts, der wütende Versuch, die Tatsache des Nichts, dessen Bestätigung die Anderen sind, wenigstens für Augenblicke aufzuheben.

Ich aber, dachte Helander, ich werde mich nicht aus dem Staub machen können. Irgendein verrückter Eigensinn läßt mich noch an jenen Herrn glauben, der sich in Honolulu oder auf dem Orion* befindet, ich glaube an die Ferne Gottes, aber nicht an das Nichts, und deshalb bin ich eine Persönlichkeit, dachte er höhnisch, ich falle auf, und weil ich auffalle, weil ich mich unterscheide, werden mich die Anderen erwischen. Wir unterscheiden uns voneinander, dieser Mensch, der sich Gregor nennt, und ich: er ist zum Nichts verurteilt und ich zum Tode.

Er sah, wie Gregor sein Rad nahm und es vom Bürgersteig vor dem Pfarrhaus herunterschob. Dann sah er den jungen Mann zu den Fenstern hinaufblicken und er schob sich ganz nah an das Fenster heran, damit Gregor ihn bemerken konnte, wie er hinter dem Fenster stand und auf eine Botschaft wartete. Die Botschaft kam: Gregor sah sich sichernd* um, ob noch jemand auf dem kleinen Platz ging, aber der war leer, und der Pfarrer sah, wie Gregor fröhlich grinste und eine horizontale Bewegung mit der rechten Hand machte, eine abschließende und triumphierende Bewegung, einen Strich, den man zog, ehe man eine Summe schrieb.

Der Pfarrer lachte, er machte seine linke Hand von der Krücke los und hob sie zu einem Winken, aber da hatte Gregor sich schon auf sein Fahrrad gesetzt und war losgefahren, er sah sich nicht mehr um, und Helander sah ihn nach wenigen Sekunden hinter dem Seitenschiff von St. Georgen verschwinden. Er war weg und würde nie wiederkommen. Das Lachen erstarrte auf Helanders Gesicht, als er dachte: ich bin allein. Einen

Augenblick lang erinnerte er sich daran, daß die Figur nun gerettet war, daß seinem kleinen Gottesschüler nichts mehr geschehen konnte, und flüchtig dachte er auch an das von ihm kaum wahrgenommene jüdische Mädchen, aber er dachte daran wie an ferne Erinnerungen, die vor der Angst, die ihn plötzlich überfiel, nicht mehr bestanden. Er ertappte sich dabei, zu wünschen, Gregor möge noch irgendwo in der Nähe sein und wenigstens zusehen, wenn die Anderen kämen, ihn zu holen.

Er tappte auf den Krücken zu seinem Schreibtisch, öffnete das rechte Seitenfach und nahm die Pistole heraus. Er hatte sie von einem Onkel geerbt, ein altes schönes Stück mit fein gravierten Beschlägen und einem Elfenbeingriff. Helander zog den Sicherungsstift heraus und drehte die sechsschüssige Trommel,* in der drei Patronen steckten. Immer hatte er das leise Klicken* geliebt, mit dem sich die Trommel weiterbewegte. Er hatte ein paarmal auf dem Lande probeweise mit der Pistole geschossen, um ihren Rückschlag kennenzulernen, der ziemlich stark war; aber nach ein paar Schüssen hatte er die Reaktionen der Waffe herausgehabt und sich eingeschossen,* der Pfarrer war ein guter Schütze. Und dann hatte er sie in seinen Schreibtisch gelegt, ein wenig bedauernd,—ein Pfarrer hatte keine Verwendungs- möglichkeiten für eine Pistole. Aber er hatte sie manchmal gepflegt, mit bläulichem Waffenfett, und er hatte die Schachtel mit den Patronen nie weggeworfen.

Mechanisch griff er nach der Schachtel, um die Trommel nach- zufüllen, als er innehielt. Ist es denn schon entschieden? dachte er. Brauche ich nicht mehr darüber nachzudenken, ob vielleicht eine einzige Patrone genügen würde? Gibt es keine Entscheidung mehr: zwischen der einen Patrone gegen mich und den sechs Patronen gegen die Anderen? Ich habe mich gegen die Folter entschieden, gegen die Peitschen und Gummischläuche, gegen das Martyrium, vielleicht würde ich die Folter durchstehen, obwohl es ganz unwahrscheinlich ist, mit dieser Wunde am

Beinstumpf, aber was ich nicht durchstehen kann, ist der Gedanke der Folter, ich bin ein alter stolzer Mann, und der Gedanke der Folter ist für mich unerträglich, der Gedanke, daß am Ende meines Lebens meine Persönlichkeit zerbrechen würde. Sie würden mich zerbrechen wie dürres Holz. Aber muß ich töten, ehe ich getötet werde? Wenn ich mich schon für den Tod und gegen das Martyrium entschieden habe,—genügt dann nicht mein Tod? Der alten Frau in Hamburg hat ihr eigener Tod genügt. Ist es im Sinne Gottes, daß mir der meine nicht genügt, daß ich den rasenden Wunsch habe, zu töten, ehe man mich tötet?

Der Pfarrer wußte, daß Gott fern war. Er hat zwar verhindert, dachte er, daß ich gestern nach dem Krankenwagen telefoniert habe, daß ich geflohen bin, aber das war eine seiner nonchalanten Bewegungen, seiner unberechenbaren Rücksichtslosigkeiten, mit denen er ihn, Helander, noch tiefer ins Unglück stieß. Gott konnte manchmal fast höhnisch zeigen, daß er noch da war, aber er stand den Seinen nicht bei. Wenn er den Seinen beistehen würde, dachte Helander, dann hätte er die Anderen nicht siegen lassen. Gott war nicht die feste Burg des Kirchenliedes,* Gott war ein Spieler, der das Reich den Anderen überließ, wenn es ihm gefiel, und vielleicht würde er es, einer Laune gehorchend, eines Tages wieder einmal den Seinen in die geöffneten Hände werfen.

Helander erkannte, daß er sich im Aufstand gegen Gott befand. Er wurde sich klar darüber, daß er töten wollte, weil er auf Gott wütend war. Selbstmord war keine Antwort auf die Unbegreiflichkeit Gottes. Während der Pfarrer die Pistole noch unschlüssig in seinen Händen hielt, begriff er, daß man einen Gott, der den Seinen nicht beistand, züchtigen mußte. Du sollst nicht töten, hatte der ferne hohe Herr erklären lassen. Aber nicht einmal Moses hatte sich an dieses Gebot gehalten.* Moses ist jähzornig gewesen, wie ich, dachte Helander, und von

Mosis Zorn und altem Schamanenglauben* besessen, dachte er:
Ich werde töten, um Gott zu züchtigen.

Als er die Patronen in die Trommel schob, hörte er das
Geräusch eines Autos. Wieder schwang er sich auf seinen
Krücken ans Fenster, es ging diesmal etwas langsamer, weil er
sich mit der rechten Hand an den Griff der Krücke klammern
und zugleich mit ihr die Pistole halten mußte, und weil ihn der
Schmerz im Bein feurig durchfuhr, aber er gelangte hin und sah,
daß eine große schwarze Limousine vor dem Seitenportal der
Kirche hielt. Sie hielt, und während der Motor noch lief,
stiegen vier Männer aus, während der Chauffeur sitzen blieb,
zwei von ihnen trugen schwarze Uniformen und hohe Stiefel,*
und die beiden anderen waren in Zivil, sie hatten schwarze,
zweireihige Mäntel an und sie trugen Hüte. Das Gesindel,
dachte der Pfarrer. So also sieht das Gesindel aus: Fleisch in
Uniformen, Teiggesichter unter Hüten. Die Szene spielte sich
genau so ab, wie er sie sich hundertmal vorgestellt hatte; weil er
sie vorausgesehen hatte, war die Kirche offen: er hatte sie heute
nacht nicht abgeschlossen, damit sie sogleich eintreten und sich
davon überzeugen konnten, daß der „Lesende Klosterschüler"
fort war, denn er wußte, daß sie nicht mit ihm, dem Pfarrer,
verhandeln wollten, sie waren so frech wie feige, sie kamen im
Morgengrauen, auf leisen Limousinensohlen,* sie scheuten die
Auseinandersetzung und den Tag, sie kamen leise und wollten
leise und wortlos verhaften, sie selbst besaßen keine Sprache und
sie haßten nichts mehr als die Sprache derer, die sie verhafteten.
Ihr Haß auf die Sprache war der Grund, warum sie ihre eigene
Stummheit nicht anders erlösen konnten als in den Schreien der
Gefolterten. Zwischen Limousinen und Folterbänken vegetierte
das stumme Gesindel schwarz dahin.

Der Pfarrer beobachtete, wie sie in die Kirche hineingingen,
sie blieben eine ganze Weile drin. Als sie wieder herauskamen,
stellten sie sich zu einer Gruppe zusammen, sie berieten mitein-

ander, und einer von ihnen deutete auf das Pfarrhaus. Helander hatte sich in einem gewissen Abstand vom Fenster gehalten, so daß sie ihn unmöglich sehen konnten. Erst als sie herüberkamen und er wußte, daß sie in wenigen Sekunden das Haus betreten würden, lehnte er sich mit dem Rücken gegen das Fenster. Er erwartete sie. Er hörte sie klingeln und klopfen. Helander lehnte die rechte Krücke gegen die Wand, er stützte sich auf das Fensterbrett und behielt nur noch die linke Krücke unter der Achsel. Unten öffnete die aus dem Schlaf gerissene Haushälterin, der Pfarrer vernahm einen kurzen, stoßartigen Wortwechsel, und dann hörte er das Gesindel heraufkommen. Er lehnte sich stärker gegen das Fenster, das für ihn jetzt nicht mehr das Fenster war, sondern die Wand des Seitenschiffs der Kirche, die riesige rote Ziegelwand von St. Georgen, und er hob langsam die Pistole, die Wand der Kirche im Rücken.

Und dann war auf einmal der Traum von heute nacht wieder da, das Hotelzimmer in Lille und die Selbstmörderin, der Traum in seiner ganzen Absurdität und vollkommenen Trostlosigkeit, und plötzlich wußte der Pfarrer, warum er sich entschlossen hatte, zu schießen. Er hatte sich entschlossen, zu schießen, weil die Salve aus seiner Trommelpistole die Starre und Trostlosigkeit der Welt durchbrechen würde. In den Feuerstößen aus seiner Pistole würde die Welt für die Dauer von Sekundenbruchteilen lebendig werden. Wie dumm von mir, dachte der Pfarrer, zu denken, ich schösse, um Gott zu züchtigen. Gott läßt mich schießen, weil er das Leben liebt.

Der erste, der hereinkam, war einer von den Zivilisten. Helander schoß ihn sofort nieder. Er kippte wie eine große Puppe nach hinten um, während sein Hut herunterfiel und langsam ins Zimmer rollte. In seinem schwarzen Ulster* lag er über der Schwelle. Der zweite, der ihm hatte folgen wollen, einer der Uniformierten, hatte sich mit einem Sprung zurückgezogen; Helander hörte aufgeregte Rufe und dann die Haushälterin, die zu schreien angefangen hatte. Er war vollkommen ruhig und wartete darauf, wie es weiterging. Er dachte jetzt daran, daß für die Fischer, die auf See geblieben waren, Tafeln in der Kirche hingen, auf denen der Name stand und darunter: In den Stiefeln gestorben. Wenn sie für mich eine solche Tafel aufhängen, dachte er, und beinahe lächelnd wünschte er es sich, dann müssen sie schreiben: Pfarrer Helander —In seinem einen Stiefel gestorben.

Herrgott, erinnerte er sich plötzlich, die Schrift! Jetzt muß sie doch erscheinen, die Schrift auf der Wand meiner Kirche. Die Schrift, auf die ich mein Leben lang gewartet habe. Er wandte sich um und blickte auf die Wand, und während er die Schrift las, spürte er kaum, wie das Feuer in ihn eindrang, er dachte nur, ich bin lebendig, als die kleinen heißen Feuer in ihm brannten. Sie trafen ihn überall.

DER JUNGE

Den ganzen Nachmittag schipperten sie unter der Küste von Schonen rum,* nach Osten, und Knudsen hatte das Mädchen schon lange wieder auf Deck gelassen, denn sie hatten es geschafft, und es bestand keine Gefahr mehr. Der Junge bemerkte, daß Knudsen keinen der kleinen Häfen anlief, an denen sie vorbeikamen, er wußte, daß Knudsen das nicht riskieren konnte, weil er das Boot sonst hätte klarieren müssen. Zwischen vier und fünf hielt Knudsen auf einen Steg zu, der zu einem Haus gehörte, das alle Schotten dicht hatte,* und sonst war nichts zu sehen als Kiefernwald und ein paar graue Felsen. Der Junge sprang auf den Steg und machte das Boot fest, und Knudsen sagte zu ihm, er solle beim Boot bleiben, und zu dem Mädchen sagte er, sie seien ganz in der Nähe von Skillinge, und er werde mit ihr die Straße suchen gehen, und sie solle dann allein weitergehen und die Figur zum Propst von Skillinge bringen. Er ging mit dem Mädchen davon, und als es ganz still geworden war, stahl sich der Junge weg.

Nachdem er eine Weile gegangen war, dachte er, der Wald ist prima. So etwas von einem Wald hatte er noch nicht gesehen. Unter den Bäumen lagen graue Felsen und umgestürzte Bäume, und es gab Bäche und kleine Teiche in den Senken und manchmal eine Sumpfwiese und keinen Weg, nur einmal kreuzte der Junge eine Straße und er dachte, das muß die Straße nach Skillinge sein. Auf der anderen Seite ging der Wald genau so weiter, und der Junge hatte die Empfindung, daß er noch tagelang in diesem Wald weitergehen konnte. Ich bin raus, dachte er. Dann kam er an einen großen silbergrauen See, und er überlegte noch, ob er ihn nach rechts oder links umgehen sollte, als er die Hütte entdeckte, eine Blockhütte mit einem Boot davor. Er ging auf sie zu und probierte die Türe, sie war offen. Mensch, dachte er, das ist ein Land, hier lassen sie die Türen ganz einfach offen. Er

189

sah sich um, in der Hütte befand sich ein Lager aus Fellen und ein Kamin, und auf einem Bord befanden sich Teller und eine Pfanne und Töpfe. Alles war schon lange nicht mehr benutzt worden.

Er ging wieder hinaus und machte das Boot los und trudelte vorsichtig mit ihm auf den See hinaus. Er warf die Köderschnur aus, und nach zwei oder drei Minuten hatte er zwei große Döbel* dran. Die Fische waren braun und silbern, sie sahen viel frischer und zarter aus als Seefische, und der Junge dachte, hier kann ich erst mal 'ne ganze Weile bleiben, wenn niemand kommt. Er paddelte das Boot zurück und ging in die Hütte, sogar Holz lag drin, er machte ein Feuer im Kamin, hing einen Kessel mit Wasser drüber, und als das Wasser kochte, schmiß er die ausgenommenen Fische rein und sott sie. Sie schmeckten nach nichts, weil er kein Salz hatte. Inzwischen war es dunkel geworden draußen, er machte den Kessel sauber und löschte das Feuer und dann setzte er sich vor die Hütte und dachte: ich bin raus, es hat wunderbar geklappt, ich bin in Schweden, ein paar Tage bleib' ich hier und dann geh' ich irgendwohin und melde mich und sag', daß ich ein Politischer bin. Und dann geht es immer weiter, dann kommt vielleicht Amerika und der Mississippi oder Sansibar und der Indische Ozean.

Es war still, ein- oder zweimal hörte er einen Fisch springen, und er fühlte sich gar nicht müde und entschloß sich, zum Strand zurückzugehen und nachzusehen, ob Knudsen abgefahren war. Erst wenn Knudsen abgefahren ist, dachte er, bin ich wirklich frei. Er fand den Weg leicht, zwischen den Stämmen herrschte ein diffuses graues Licht, wieder kam er über die leblose Straße, und dann war es nicht mehr weit. Er sah das Haus durch den Wald schimmern und dann die See und er machte sich hinter Unterholz und einem Felsen bis ans Wasser heran und spähte hinaus. Der Steg lag als graues Band über dem schwarzen Wasser. Der Junge sah, daß der Kutter noch immer dalag. Etwas weiter weg war das Meer blau, dunkelblau und kalt lag es unter einem grauen, einförmigen Himmel ohne Sterne. Der Kutter bewegte sich kaum, er war schwarz und still und wartete. Der Junge konnte sehen, daß Knudsen auf Deck saß, er saß auf der Wassertonne und rauchte.

Der Junge blickte nicht mehr in den Wald zurück, als er den Steg betrat. Er schlenderte auf das Boot zu, als sei nichts geschehen.

Notes

The numbers refer to pages.

Colloquial abbreviations, such as 'mal' for 'einmal', 'rein' for 'herein', 'rüber' for 'herüber' etc., have not been annotated.

25 This is a translation of the second verse of the poem *And death shall have no dominion* by Dylan Thomas, which reads in English:

> And death shall have no dominion.
> Under the windings of the sea
> They lying long shall not die windily;
> Twisting on racks when sinews give way,
> Strapped to a wheel, yet they shall not break;
> Faith in their hands shall snap in two,
> And the unicorn evils run them through;
> Split all ends up they shan't crack;
> And death shall have no dominion.

27 **Huckleberry Finn:** novel by Mark Twain (Samuel Langhorne Clemens, 1835–1910), describing the adventures of a boy trying to run away from his drunken father. Together with a slave negro, called Jim, he escapes on a raft along the Mississippi.

olle: colloquial, for *alte*.

Treenebrücke: the small river Treene runs through Rerik (*see map*), the scene of the story. The time is the autumn of 1937.

wäre man weg: 'you'd be away from it all.'

28 **die licht stehenden Kiefern:** 'the scattered pines.'

Sie wiesen nicht über sich selbst hinaus: 'They did not point to anything beyond themselves.'

sieben Meilen von der Küste: the limit of territorial waters.

29 **Genossen:** the 'comrades' of the German Communist Party, which had been outlawed on 23rd March, 1933, by Adolf Hitler, leader of the German National-Socialist Party (the 'Nazis'), chancellor and dictator of Germany since 30th January, 1933. For some time, members of the Communist Party carried on 'underground' activities.

anvisieren: 'to hint at.'

30 Landein: 'inland.'

32 die Tafel, auf der die Schrift nicht erschien: *cf.* the tablets of the Law which the Lord inscribed for Moses (Exodus Ch. 24 v. 12, "and I will give thee tables of stone, and a law, and commandments which I have written; that thou mayest teach them."). And there is here also a reference to the "writing on the wall" in Daniel Ch. 5 vv. 25–28, when there appeared to King Belshazzar of Babylon the "Mene, mene, tekel, upharsin", which Daniel interpreted: "God hath numbered thy kingdom, and finished it." Thus the writing which (p. 188) appears to Helander immediately before his death, as happened to the king, is commandment as well as judgment, for the parson as much as for his people.

mit dem reisigen König: the 'horseman king' is Gustav Adolf II of Sweden (1611–1632), who in 1630 entered the Thirty Years' War on the side of the Protestants and fell at the battle of Lützen. Sweden obtained for its participation in the war a great part of Pomerania, and retained Wismar until 1814 when it was ceded to Prussia.

33 am Buksand und unter dem Land: 'on the Buksand and close in-shore.' The Buksand is a sandbank outside Rerik harbour.

Senknetz: 'sweep-net.'

als Knudsen seiner: colloquial form of the genitive, for *Knudsens; cf.* also *Huck Finn sein Vater* below.

die auf See geblieben sind: *i.e.*, who have died at sea.

34 Instrukteur der Partei: a member of the Communist Party who takes messages and instructions from headquarters to local representatives.

Die Partei hätte schießen sollen: the Communist Party should have defended itself when the Nazis took over.

Fünfergruppensystem: when the Communist Party was banned, it established 'cells' wherever possible, consisting of only five members, instructed directly by headquarters.

Püttscherkram: North German dialect expression (more commonly spelled *Püttjerkram*) for 'junk.'

des Terrors: *i.e.*, terrorism by the Nazis.

den Treff: colloquial expression for *das Treffen*, 'meeting.'

35 **einer von den Anderen:** throughout the story the National Socialists are referred to as 'the Others.'

was sie mit den Geisteskranken machten: it was part of the Nazi 'racial policy' to prevent those who were termed 'biologically inferior' from having children, or even to kill those suffering from hereditary diseases.

36 **Illegalität:** *i.e.*, the banning of the Party; *cf.* note on *Genossen*, p. 29.

37 **schwarz werden vor Warten:** *i.e.*, the messenger could wait for ever.

38 **Trank er sich Mut an:** 'Did he drink to bolster up his courage?'

39 **„Wappen von Wismar":** "The Wismar Arms" is the local inn.

ein Zimmer nach vorne raus: 'a room looking out at the front.'

Holzsteamer: steamers carrying timber from Sweden.

Faible: from the French; a 'soft spot.'

40 **in Rügen:** large island in the Baltic, popular as a holiday resort; (*see map*).

am Leinpfad: the 'towpath' of the *Alsterkanal* in Harvestehude, a select part of Hamburg.

bis sie dich abholen: gradually, all Jews were taken to concentration camps.

42 **Das klang ganz gewöhnlich hanseatisch:** *i.e.*, did not sound Jewish but like a 'perfectly normal Hanseatic' name.

abgeholt werden würde: 'would be deported.'

43 **kieloben treibend und ziemlich havariert:** 'drifting capsized and pretty badly damaged by the waves.'

Fangbeteiligung: a share in the proceeds from the catch.

44 **auf dem Wedding:** northern district of Berlin (masculine, and always used with the article).

45 **Siemensstadt:** north-western district of Berlin, with the huge Siemens electrical plants.

lautete auf Rerik: 'had been issued for Rerik.'

Halbinsel Krim: 'Crimean peninsula.'

46 **Manövergast:** guest observer at manœuvres.

dem grauen Gestrichel: 'the pattern of grey strokes.'

Steppenbewegung: 'the movement across the steppe.'

Lenin-Akademie: political science training college at Moscow, named after Vladimir Ilyich Lenin (1870–1924), leader of the Russian revolution in 1917 and first Soviet leader.

Jugendverband: the youth organization of the Communist Party.

48 **den Einfüllstutzen des Tanks:** 'the filler spout of the fuel tank.'

herumzuschippern: 'to skipper around,' from the Low German *Schipper* for *Schiffer*.

nölen: North German expression, 'to moan.'

Fehmarn und Falster: islands in the Baltic. Fehmarn is German, Falster Danish (*see map*).

Darß: a cape to the east of Rerik (*see map*).

Moen: Danish island due north of the Darß (*see map*).

49 **Steuerhaus:** 'wheelhouse.'

Ein Pfaffe mit einem geraden Maul: 'A parson who speaks out.'

50 **jetzt geht's Ihnen an den Kragen:** 'now you'll be for it!'

Verdun-Bein: 'the leg you lost at Verdun,' in the 1914–18 war.

51 **Skillinge:** port on the east coast of southern Sweden, north of Rerik (*see map*).

sang ein Flaschenzug gellend auf: 'a pulley block screamed piercingly.'

52 **magaziniert:** 'stored.'

Karrierist: 'careerist', 'climber.'

„Klosterschüler": Andersch is thinking here of Ernst Barlach, one of the greatest German sculptors of this century. Born in Wedel, Holstein, on the 2nd January, 1870, he rose to fame through his Expressionist dramas (*Der tote Tag*, 1912, *Der arme Vetter*, 1918, *Der blaue Boll*, 1926) and his many wood carvings and etchings, portraying lowly people in stark, simplified, severe lines, expressing suffering, strength, ecstasy. Among his many religious sculptures for churches is this *Lesender Klosterschüler* of 1930, reproduced opposite p. 14.

unnötig, ihn einzuwecken, er bleibt auch so frisch: 'unnecessary to preserve him; he will keep fresh as he is.' *einwecken* = 'to preserve, bottle (fruit)'.

Liste der Kunstwerke: The Nazis removed from public showing all contemporary works of art which they termed 'degenerate' and 'decadent,' professing to destroy them but, in fact, selling some abroad secretly.

53 **Bildhauer . . . auszuüben:** Barlach was forbidden to work by the Nazis, and died in poverty at Güstrow in Mecklenburg, 24th October, 1938.

zu dem von der Marienkirche: *i.e.*, to the vicar of the Marienkirche.

54 **Der Spinner:** 'He is out of his mind!'

55 **Scheißpartei:** 'To hell with the Party!'

56 **Höchstens so im allgemeinen:** 'At most in a general way.'

daß man auf keine Ideen mehr kam: 'that one didn't have any more new ideas.'

57 **Baedeker:** famous travel guides, named after Karl Baedeker (1801–1859).

58 **kleine Pötte:** 'little tramp steamers.' *Pott* is Low German for *Topf.*

räsonieren: 'to grumble.' The original French meaning is 'to reason', 'to argue.'

Klüterkram: North German colloquial word for 'trifle,' 'small fry.'

Da tun sie alles für: colloquial splitting of *dafür.*

die Kästen hinauswuchtete: 'he carted the crates out, groaning under their weight.'

59 **Er wird es mir niemals abnehmen:** colloquial expression for *er wird es mir niemals glauben.*

So was wie Sie: *i.e.*, people like you.

60 **die kindliche Tour schieben:** slang expression, something like 'to work the innocent gimmick.'

Die blaue Flagge mit dem gelben Kreuz: the flag of Sweden.

61 **zur Marine gezogen:** 'conscripted into the navy.'

vor sich hinzubrüten: 'to brood.' The *vor sich hin* emphasizes his detachment.

62 **das lehmrote Licht:** 'the red-brown light.'

für unsere Ernte: *i.e.*, for the work and success of the Party.

63 **Flucht von den Fahnen:** *i.e.*, defection from the Party.

64 der graue Marmormann ... aus Schweden: Gustav Adolf (*cf.* note to p. 32), seen as a marble statue.

ich steige aus: 'I get off here.'

65 die ... in der Ferne der Knechtschaft versinkenden Türme: 'the towers ... disappearing on the far horizon of servitude.'

Außenwerk: 'outpost'.

der tote Punkt: 'dead centre', a term in physics for a point at which no movement takes place, either in the centre (as in rotation) or at the extremities of the movement (as with a piston). This as well as the literal sense of the words is alluded to, Rerik being a 'dead spot.'

66 die Augendeckel: = *Augenlider*, 'the eyelids'.

Die Spalten ... waren geschwungen: 'the barely open slits left between his very large lids were curved.'

sind wir ... gesessen: South Germans often conjugate *sitzen* with the verb *sein*.

papirossi: Russian cigarettes, with long cardboard tips.

67 vogelgleicher: 'more bird-like.'

68 schlug er sich noch den Grießpudding rein: 'then he also stoked the semolina pudding into himself.'

Kaisers Geburtstag: the Emperor's birthday (27th January) was a public holiday before the advent of the Weimar Republic in 1919.

69 Fahrradklammern: 'bicycle clips.'

Gebetsschuppen: 'prayer shack,' a scornful epithet for the church.

ZK: = *Zentralkomitee*.

Für solche war die Partei das Alte: 'For such (youngsters) the Party was still the old familiar thing.'

Darauf sind sie noch nirgends gekommen: 'They (the Nazis) have never cottoned on to this one.'

70 das Tuckern seines Bootsmotors: 'the chugging of his boat's engine.'

Wenn das ZK hochgeht, ist die ganze Partei im Eimer: 'If the Central Committee blows up, the whole Party is done for.'

Da stimmt irgend etwas nicht: 'There's something fishy here!'

aktiv: *i.e.*, engaged in Party work. *Cf.* next page, *Aktivierung der Parteiarbeit*.

71 Er wollte ... hervorkramen: 'He wanted to dig his pipe out of his jacket pocket.'

bartstoppeliges, wettergegerbtes Fischergesicht: 'stubbly, weatherbeaten fisherman's face.'

Murks: colloquial for 'bad job', 'bungling.'

Steht doch nicht dafür: 'It's really not worth it.'

72 Es ist mir wurscht: 'I don't care.'

Kurierdienste: 'messenger services.'

73 Oranienburg: town north of Berlin, which had one of the largest and most notorious concentration camps for political enemies of the Nazi régime.

Es klang eine Spur zu eifrig: 'He sounded a bit too eager.'

Du hast einfach die Schnauze voll: 'You've simply had enough;' the usual slang expression is *die Nase voll haben*.

74 Aber zwischen zweien, die kneifen wollen: 'But between two who want to do a bunk.'

Hier gehst du ja doch früher oder später hoch: 'Sooner or later all will be up with you here in any case.'

75 Elender Mist: 'Damned bad luck.'

76 Mit sechzehn: 'At sixteen (years of age).'

Das hatten ... prima eingerichtet: 'The grown-ups had organized that perfectly.'

77 Himmel, Arsch und Zwirn: vulgar oath 'Hell and damnation!'

zu viel Zucker im Blut: *i.e.*, he is a sufferer from diabetes whose blood sugar is not gradually absorbed by the body, so that he has to administer regular injections of insulin (see below) to restore the balance, and tends to develop gangrene (*schwarzer Brand*) on wounds; he is thus a grave operational risk.

Insulin: hormone, derived from the pancreas, discovered in 1922. *Cf.* p. 122.

78 zu einem Schrei ... Brand: *i.e.*, as if the exposed tissues were screaming.

Langhaus: the main part of a church, comprising both the nave and the aisles. The whole phrase could be translated 'along the southern wall of the nave.'

keine Wechsler und Händler: refers to Christ purging the temple of money changers and traders; see *e.g.*, St. John, Ch. 2, vv. 14–16.

ein Stück Bibel: 'a bit from the Bible.'

80 **wegen dem**: *wegen* is often used colloquially with the dative.

81 **was du nicht sagst**: 'you don't say!'

Nichts stimmt zwischen diesen beiden: 'These two can't agree on anything.'

mit den Leuten von der Armee: for quite some time after the Nazis had come to power, the higher ranks in the army were opposed to the régime, especially when Hitler took over the supreme command. Some generals remained in touch with the underground movement throughout the reign of the Nazis, and army officers were involved in an abortive attempt on Hitler's life on 20th July, 1944, during the last year of the war.

rechtzeitig geschossen: see p. 34.

Fisimatenten: 'subterfuges.'

82 **nur aus Eisernen bestand**: 'consisted entirely of men of iron.'

legt . . . ab: 'casts off.'

83 **Keine Sorge**: 'Don't worry!'

Das wollen wir schon sehen: 'We'll see about that!'

84 **so ab Windstärke 9**: 'when the wind's more than about force 9.'

85 **Kalmar**: important port on the east coast of southern Sweden.

86 **Mach zu**: 'Get a move on!'

die Taue des Besanschots festzuzerren: 'to lash the mizzen-sheets fast.'

das Großschot: 'the mainsail sheet.'

die Nocks: 'the yard-ends.'

man steht vor fremden Schiffen an: 'you form queues in front of foreign ships.'

88 **ein schmissiges Plakat von Herren, Kavalieren mit intakten Ehrbegriffen**: 'a slick poster showing gentlemen, cavaliers with an unsullied code of honour.'

Landespolizisten: the *Land* ('county') police were *ungefährlich* because they were not concerned with 'political criminals' or the movement restrictions imposed on Jews.

das Ungefähre einer mißgünstigen Verwunderung: 'the vague hint contained in an ill-willed astonishment.'

Spitzel der Geheimen Staatspolizei: 'snooper from the *Gestapo*;' the secret state police, under the command of Himmler, concerned itself with 'subversive activities directed against the State'. It was part of the *S.S.*, the *Schutzstaffeln*, originally formed for Hitler's personal protection, who wore black uniforms and were armed, completely autonomous and all-powerful, their actions not being subject to the jurisdiction of the courts.

89 **Achtgroschenjunge:** slang for an informer.

 anzuhauen: slang, 'to accost.'

90 **weiterradeln:** 'to cycle on.'

 Emsland: district on the Dutch border, on the river Ems.

91 **wie farbige Emailflächen:** 'like brightly coloured spots of enamel.'

 mit dem Gold seines ersten Verrats: refers to Gregor's experience at Tarasovka (pp. 45–46).

 Lampenrund: 'circle of lamp-light.'

92 **Schlagschattenschwärze unter ihren Nasen:** 'pitch-black shadows below their noses.'

93 **hoch spielte:** 'would like to play for high stakes.'

 wenn sie an einen richtigen Kerl geriet: 'if she chanced upon a real man.'

94 **warum bist du nicht mit raus:** 'why didn't you come out with us?'

 Du und krank! 'You ill?'

95 **Käpten:** North German colloquial form of *Kapitän*.

96 **Na, mir kann's recht sein:** 'Well, it's all right with me.'

 klarieren lassen: 'have it cleared.'

97 **ein Bild des Führers der Anderen:** a portrait of Hitler, the Nazi leader. This was the case in every public place.

 Bastardgesicht: this is an allusion to Hitler's illegitimate birth.

 Delfzijl: Dutch port.

99 **vor dem Lokal:** *i.e.*, for the benefit of the audience in the pub.

 sie gab sich einen neuen Anlauf: 'she made a new effort.'

 mit einem Rückfall ins Backfischhafte: 'relapsing into teenage behaviour.'

100 **Eine hübsche Krabbe:** 'a pretty kid.'

   Zarah Leander: popular singer and film actress of the thirties and forties.

101 **mit Blicken, die nun nicht mehr hindämmerten:** 'their glances no longer dozing off.'

   ein helles Gesicht, in dem nicht viel drin ist: 'a clean face, without much character.'

102 **Kitschlied:** 'trashy song.'

103 **ein nettes Flittchen:** 'a nice little tart.'

104 **Solche wie die fliegen bei mir raus:** 'The likes of her get kicked out of my place.'

105 **Er hatte sich . . . vorbeigedrückt:** 'He had slunk past.'

106 **das Schwappen des Wassers:** 'the slapping sound of the water.'

   Angst vor seinem Kneipenmut, vor seinem Kneipenverlangen: the show of courage he put on in the pub, and the desire he felt, were merely inspired by alcohol. Now that he is sober again, he is afraid of the consequences.

   leichtes Mädchen: 'girl of easy virtue.'

   Mädchenherumtreiberei: 'a girl's aimlessly drifting existence.'

107 **Sie prustete förmlich ihr Lachen heraus:** 'She really exploded with laughter.'

   „Apotekarnas Sockerdricka": well-known Swedish lemonade, literally 'the chemists' sugar drink.'

108 **kramte eine Kerze hervor:** 'dug out a candle.'

   die Schatzinsel: *Treasure Island*, by R. L. Stevenson.

109 **Karl-May-Bände:** Karl May (1842–1912) was Germany's most popular writer of adventure stories for boys, with more than 60 novels to his credit, mostly dealing with Red Indians and travels in the Near East. Every German boy knows of Old Shatterhand, the hunter, and Winnetou, the noble Red Indian chief.

   wie Ismael angeheuert wird: Ishmael is the narrator of *Moby Dick*.

   er hatte den Indischen Ozean erwischt: 'he had chanced upon the Indian Ocean.'

   Bengalen: Bengal.

   Chittagong: port on the east coast of the Bay of Bengal.

Kap Comorin: southernmost point of India.

Sansibar: Zanzibar.

Nantucket: island off the coast of Massachusetts State, U.S.A. Ishmael, in *Moby Dick*, sailed from here.

Herrgott nochmal: 'Good God!'

110 **Kneipier**: 'publican.'

schlagen sie ihm die Bude zusammen: 'they'll smash up his joint.'

Nutte: 'tart'.

111 **die Medizin, die er dem Wirt gegeben hatte**: *i.e.*, the doubts which he had sown in the mind of the innkeeper about Judith.

eine Wut im Bauch haben: 'to be mad with rage.'

und es morgen früh nicht erwarten können: 'and tomorrow morning he just won't be able to wait.'

den Scheitelpunkt ihrer Kurve: *i.e.*, its crucial point.

112 **Feld**: 'square (on a chess board).'

den aufzubrechen und zu verwandeln sich lohnte: 'which it was worth freeing and changing.'

113 **Schit**: Low German form of *Scheiße*.

Doberan: east of Rerik (*see map*).

114 **Haff**: bay or lagoon, separated from the sea by a narrow strip of land often called a *Nehrung*. This is a common formation on the Baltic coast.

115 **in dem toten Winkel**: *i.e.*, in the 'blind spot', the sector which is not touched by the light.

auf der Höhe des linken Waldrandes: 'opposite the lefthand edge of the wood.'

Nö: North German for *nein*.

stinklangweilig: 'deadly dull.'

Trennungszeichen: usually means 'hyphen', but here more literally 'dividing line.'

116 **Und dann sprach er das Finstere an**: 'And then he brought that dark feeling into the open.'

117 **von der Aufgabe zum Verrat**: '(the step) from giving up duty to actual betrayal.'

gestrichen: 'hauled down.'

119 **Geht in Ordnung:** 'O.K.'

Knudsen vor eine vollendete Tatsache zu stellen: 'confronting Knudsen with a *fait accompli.*'

122 **daß er Ihr Bein sofort vornimmt:** 'to tell him to examine your leg right away.'

Insulinstoß: a shock injection of insulin; *cf.* note to p. 77.

124 **das Sichklammern an einen Strohhalm:** 'that clutching at a straw.'

„**schalltote" Räume:** 'rooms with "dead" acoustics,' *e.g.* in broadcasting stations.

125 **dem Vikar Bescheid sagen:** 'let the curate know.'

Genau sein: an infinitive used as an imperative: 'Let's be honest!'

126 **Gummischläuchen:** the Nazis tortured prisoners by beating them with hose pipes.

Die Lehre des großen Kirchenmannes aus der Schweiz: the Swiss theologian Karl Barth (b. 1886), whose teachings and example were a source of inspiration for members of the "Bekennende Kirche", the united Protestant front in opposition to the insidious influence of National Socialism within the church.

glatt verschluckten: 'immediately swallowed.'

127 **einer unter Mauern verschütteten Toccata:** 'a toccata buried beneath walls.' A toccata is a work for a keyboard instrument, in free fantasia style.

128 **Der trieb sich vielleicht gerade auf dem Orion herum:** 'At the moment he was perhaps loafing about on Orion (a constellation on the equator)'.

Honolulu: port on Oahu, one of the Hawaian Islands. This probably alludes to a popular phrase, *Geh nach Honolulu!,* said to some unwanted person.

deus absconditus: Latin: 'the God who is in hiding.'

den blinden und grauen Gedanken, . . . verlöschen: 'the blind and grey thought' that life is at an end blots out all images, all 'reflections' in the mirror of one's mind, extinguishes all feeling and thinking.

129 **am Vorfach einer Schnurrolle:** a *Vorfach* is a thin length of line which is fastened to the *Schnurrolle,* the 'cord pulley.'

mit so beköderten Schnüren: 'with lines baited like this' (*der Köder* = bait).

Toll, ... und so was machte Knudsen: 'Marvellous! ... Knudsen doing something like this!'

131 **hoffentlich versaut sie ... nicht alles:** 'I hope she won't ruin everything ... !'

132 **Degas:** Edgar Degas (born and died in Paris, 1834–1917), a painter of the Impressionist school, is famous for his many fine paintings of ballet dancers and scenes on the race track, several of which show jockeys seated on long-legged horses prancing on lawns of 'dark chrysoprase green,' as does the painting described here.   Chrysoprase is a precious stone of apple-green colouring.

man hatte niemals Aufwand getrieben: 'they had never lived extravagantly.'

133 **anhand des Bildes:** 'by means of the photograph.'

134 **in der Aura des Lichts:** here 'in the reflected light,' *i.e.*, just outside the pool of light but still visible.

136 **Den Anderen ist das ganz egal:** the race laws of the Nazis did not discriminate between Jews and baptized converts; they defined as 'non-Aryan' any person who could not prove that his parents and grandparents had not had Jewish blood.

137 **unerbittlich:** *i.e.*, her profile proved 'inexorably' that she was a Jewess.

138 **Kostenpunkt Nebensache:** 'Expense no object.'

Automonteur: 'motor mechanic.'

139 **Tempo, verlässige Schnelligkeit:** 'swiftness in action, reliable quickwittedness;' the more usual adjectives are *verlä ßlich* and *zuverlässig*.

Harvestehude: the district of Hamburg where Judith lived.

solange sie die Plätze noch hatte benutzen dürfen: Jews were even excluded from social organizations such as tennis clubs.

ihre Lage: *her* situation, not theirs.

140 **Draufgabe:** 'free gift', *e.g.* given by a shopkeeper when a purchase is made.

141 **das Leuchtblatt:** 'the luminous face.'

die Tat des Gehirns: *i.e.*, Gregor's action is dictated by reason, not by instinct.

142 **dialektischen Materialismus gebüffelt:** 'swotted dialectical

materialism,' the philosophical system which, originated by Marx and Engels, was consolidated and made into the official state philosophy for Soviet Russia by Lenin (see note to p. 46). It defines reality as existing independently of our knowledge or consciousness of it, and time and space as 'matter', eternal and infinite. This 'materialism' is 'dialectical', a term derived from Hegel, the German philosopher (1770–1831), because it denies the existence of 'isolated' phenomena, claiming that all 'things' are mutually conditioned. Hegel had seen 'development' and 'progress' as a 'dialogue' between anything existing and its contradiction, contained in it, as 'thesis' and 'antithesis' which together form a higher state, 'synthesis.'

Tschistka: *Russian*: 'purge' of the Party.

146 „Haltung vor der Guillotine": 'courage and poise in face of the guillotine.'

Himmeldonnerwetter: 'For heaven's sake!'

die Dreckarbeit: 'the dirty work.'

147 Ausgangslage: 'original position.'

149 die Kupplung herausriß: 'suddenly let out the clutch.'

schwoite: *schwoien* is said of a ship at anchor swinging under the influence of tide or wind.

die Vorleine: 'the painter.'

150 die Sichelrundung: 'the curve of the sickle.'

in Schüben: 'in bunches.'

151 ein geschwungener Mund: 'a curved mouth.'

in der umlaubten Gasse aus Windstille: 'within the leaf-enclosed, becalmed lane.'

schwarzes Reptil, niedergehalten . . . aus Nacht: 'a black reptile, cowed by the fist of the sky fashioned by the night.'

Kampen: holiday resort on the island of Sylt, the largest of the North Frisian islands in the North Sea.

Sils Maria: holiday resort in the Engadin, Switzerland, near St. Moritz.

Nacht ist schon hereingesunken: the lines quoted here are the second stanza of the song of a chorus of 'spirits', at the beginning of the first act of *Faust*, Part Two, by Goethe.

152 von sandigen Karrenspuren zerpflügt: 'ploughed up by sandy cart-tracks.'

mecklenburgisches Singsang-Platt: the Low German dialect of Mecklenburg and Pomerania has a 'sing-song' quality. *Platt* stands for *Plattdeutsch*, Low German.

153 **schit:** 'foul'. See note to p. 113.

plazierte: 'placed.'

Wiesennarbe: 'grass edge.'

sie behinderten die Stakrichtung: 'they hampered the direction in which the boy had punted the boat.'

vom Gewölk leerer Baumkronen undeutlich gegliedert: 'obscurely outlined by the cloud-shapes of empty treetops.'

in den Alsterböen: the *Außenalster* in Hamburg, where the river expands into a large lake, is known to be tricky in gusts.

154 **so müssen wir ja den ganzen Bogen ausrudern:** 'this way we'll have to row round the whole arc.'

Das ist wegen dem Zollboot: *cf.* note to p. 80.

155 **etwas Unausdenkbares:** 'something inconceivable.'

157 **das Kurs auf den Leuchtturm hielt:** 'making for the lighthouse.'

legte sich in die Riemen: 'leant on his oars,' 'put all his weight into his rowing.'

das sich kaum auffächerte: 'which hardly fanned out at all.'

158 **sie leuchteten das Haff nach Schmugglern ab:** 'they were lighting up the *Haff* in their search for smugglers.'

Tuschestrich: 'inky line.'

ein MG: abbreviated from *Maschinengewehr*.

politische Polizei: *i.e.* the *Gestapo* (see note to p. 88).

159 **hätten sie . . . heraus:** 'they would have found out.'

nach drüben: *i.e.*, to Sweden.

161 **Kausalitätsgesetz:** the natural law, established by Galileo and Newton, that an 'effect' must be due to one or more 'causes'; its validity in physics has nowadays been somewhat restricted, mainly through Einstein's theory of relativity.

164 **Tjalk:** small ship with sails and a flat bottom with side keels, usually a cargo vessel.

165 **betütert:** slang: 'barmy.'

167 **denk mal an:** 'just imagine!'

Laß doch das Theater: 'Cut the funny stuff!'

hast du dich in sie verknallt: 'you've fallen for her.'

169 hatte er den Ring gesprengt: 'he had broken the clinch.'

wenn Knudsen ihn unterlaufen wollte: 'when Knudsen tried to grab him from below.'

170 Klar bring ich ... Das schaff' ich schon: 'Sure, I'll get the "Pauline" across on my own. Of course I'll manage that.'

Aus der Traum: 'That's the end of that dream.'

172 Wenn die Partei schon im Eimer ist: 'If it is a fact that the Party has had it.'

173 Sandkuhle: 'sandy hollow.'

174 in den seidenen Schminken aus Milchweiß und Schimmel-grau: 'among the silky paint smears of milk-white and mildew-grey.'

Priel: a channel among mudflats which retains sea water at low tide.

176 die gleiche Rolle wie der Neger Jim für Huckleberry Finn: see note to p. 27. Huck helped Jim escape so as to have a reason for his own adventurous enterprise.

179 Lille: town in northern France, near the Belgian border, just behind the German lines in the 1914–18 war.

Ersatztruppenteil: Helander was first sent to the army reserve depot, and then discharged.

Etappenschweine: military slang expression for soldiers of rear contingents.

180 bei den Skat- und Rotsponabenden im Hamburger Hof: 'at the card and wine evenings in the "Hamburger Hof" (a hotel).' Skat is Germany's most popular card game, for three players using 32 cards, from the aces to the nines. Rotspon is a general term for any red wine.

hat mich nicht verkorkst: 'did not distort my character.'

181 die Schriften Freuds: Sigmund Freud (1856–1939), neurologist, was the founder of psycho-analysis, practising in Vienna until his emigration to London, where he died. Among his many works are the Untersuchungen über die Traumdeutung (1900).

im Vorhof der Seele: i.e., the subconscious instincts.

Ödnis: = Öde, 'desolation.'

182 irgendwer: 'anybody.'

Allerweltsanzug: 'commonplace suit.'

183 in Honolulu oder auf dem Orion: see notes to p. 128.

sichernd: 'watchfully;' *sichern* is normally used in this absolute sense to describe wild animals sniffing for scents.

184 sechsschüssige Trommel: 'magazine containing six bullets.'

Klicken: 'the click.'

die Reaktionen . . . sich eingeschossen: 'found out how the gun reacted and got his eye in.'

185 die feste Burg des Kirchenliedes: "Ein' feste Burg ist unser Gott, Ein' gute Wehr und Waffen", the famous hymn of the Reformation, was written by Martin Luther and first printed in 1529.

Aber nicht einmal Moses . . . gehalten: Exodus Ch. 2, vv. 11/12: ". . . he spied an Egyptian smiting an Hebrew, one of his brethren. And he looked this way and that way, and when he saw that there was no man, he slew the Egyptian, and hid him in the sand."

186 Schamanenglauben: *Schamane* is the name given to priests in central Asia who believe they can possess others with their soul, in order to exorcise evil spirits, heal sickness, and prevent accidents. Helander here refers to the general belief in the transmigration of souls.

schwarze Uniformen und hohe Stiefel: the dress of the S.S., see note to p. 88.

auf leisen Limousinensohlen: *i.e.*, in a silent saloon car.

187 Ulster: double-breasted overcoat made of rough wool; the name derives from a particular wool-weave pattern originating in Ulster.

189 schipperten sie unter der Küste von Schonen rum: 'they cruised along in the lee of the Skåne coast.' Skåne is the southern-most part of Sweden.

alle Schotten dicht hatte: the boy uses here the nautical term 'bulkheads' for the closed shutters of the house.

190 Döbel: 'chub,' a white fish, resembling a carp, and found in rivers and lakes all over central Europe.